ROBERT E. HOWARD

O DEMÔNIO DE FERRO

Copyright © 2021 Pandorga

All rights reserved.
Todos os direitos reservados.
Editora Pandorga
1ª Edição | Novembro 2021

Autor: Robert E. Howard

Diretora Editorial
Silvia Vasconcelos

Editora Assistente
Jéssica Gasparini Martins

Capa e Ilustrações
Ricardo Chagas (Ilustrações de capa e internas)
Lumiar Design

Projeto Gráfico e Diagramação
Rafaela Villela
Lilian Guimarães

Tradução
Ana Paula Rezende
Ananda Alves
Maurício Macedo

Revisão
Tayná Rosário
Michael Sanches

Dados Internacionais de Catalogação na Publicação (CIP) de acordo com ISBD

H848d   Howard, Robert E.

O demônio de ferro / Robert E. Howard ; traduzido por Ananda Alves, Ana Paula Rezende, Maurício Macedo ; ilustrado por Ricardo Chagas. - Cotia, SP : Pandorga, 2021.
160 p. : il. ; 14cm x 21cm.

Inclui índice.
ISBN: 978-65-5579-138-9

1. Literatura americana. 2. Ficção. 3. Fantasia. 4. Conan. 5. Espada & Feitiçaria. 6. Aventura. I. Alves, Ananda. II. Rezende, Ana Paula. III. Macedo, Maurício. IV. Chagas, Ricardo. V. Título. VI. Série.

CDD 813
CDU 821.111(73)-3

2021-3981

Elaborado por Vagner Rodolfo da Silva - CRB-8/9410

Índice para catálogo sistemático:
1. Literatura americana: Ficção 813
2. Literatura americana: Ficção 821.111(73)-3

> OLIVIA FECHOU OS OLHOS. AQUILO NÃO SE TRATAVA MAIS DE UMA LUTA, MAS DE UMA CARNIFICINA FRENÉTICA, SANGRENTA, IMPELIDA POR UMA HISTERIA DE FÚRIA E DE ÓDIO, RESULTANTES DOS SOFRIMENTOS DE BATALHA, MASSACRE, TORTURA E FUGA DOMINADA PELO MEDO, ENLOUQUECIDA DE SEDE E ASSOMBRADA PELA FOME. EMBORA OLIVIA SOUBESSE QUE SHAH AMURATH NÃO MERECIA MISERICÓRDIA OU PIEDADE DE QUALQUER CRIATURA VIVA, ELA FECHOU OS OLHOS E PRESSIONOU AS MÃOS SOBRE OS OUVIDOS, A FIM DE TAPAR A VISÃO DAQUELA ESPADA GOTEJANTE, QUE SUBIA E DESCIA COMO O SOM DO CUTELO DE UM AÇOUGUEIRO, E BLOQUEAR OS GRITOS GORGOLEJANTES QUE DIMINUÍRAM ATÉ CESSAR.

SUMÁRIO

APRESENTAÇÃO ——————————— 9

⬢ SOMBRAS DE FERRO AO LUAR —— 13

⬢ RAINHA DA COSTA NEGRA ——— 59

⬢ DEMÔNIO DE FERRO ——————— 101

GALERIA DE CAPAS ———————— 145

A RECEPÇÃO DE CONAN NOS —— 151
QUADRINHOS

APRESENTAÇÃO

Conan, o herói bárbaro da Ciméria, já é um fenômeno consolidado entre os anos de 1932 e 1934 e é exatamente nesse período que são compostos e publicados três interessantíssimos contos: "Sombras de ferro ao luar", "Rainha da Costa Negra" e "O demônio de ferro".

Essas três narrativas compartilham várias características em comum, entre elas há a presença de uma figura feminina que, embora seja, por vezes, destemida, é uma personagem que exige os constantes cuidados e a masculina proteção de Conan; uma força sobrenatural maligna e, por fim, uma ambientação permeada de ruínas antigas de uma civilização perdida.

As histórias que possuem essas características são compostas em um mesmo período, classificado como Período Intermediário. Esse período, artificialmente denominado assim pela fortuna crítica, corresponde ao período histórico da Grande Depressão americana, um momento de profundo recesso econômico que provocou uma onda de miséria pelo solo estadunidense. Durante esse tempo, Robert E. Howard não poderia se dar ao luxo de escrever pautado somente na sua sensibilidade artística, mas, sim, precisava se certificar o máximo possível de que suas histórias seriam aceitas pelos editores da *Weird Tales*, também afetada pela crise econômica. Nesse contexto, a prioridade era a sobrevivência, e a forma pela qual Howard enfrentou as consequências dessa crise foi por meio de uma estrutura formulaica, garantindo, assim, uma maior segurança, pois tinha mais chances de ser publicada.

Esse modo de composição, no entanto, por mais que fosse visto com olhos reticentes pela crítica, não deve ser considerado de menor valor, pois são apenas fatores superestruturais que não subtraem, de forma alguma, a genialidade de Howard. Os olhos do leitor atento não vão deixar passar despercebidas as problematizações com relação à civilização, as discussões pertinentes ao que é justo, moral e até mesmo as reflexões de caráter teológico.

Mais do que em meras historietas, em Conan mergulhamos no caudaloso mar da aventura, dos símbolos e das discussões que suscitaram — e ainda suscitam — o interesse de milhares de leitores, mesmo após quase cem anos desde sua publicação original. Preparem-se para adentrar o mundo da Era Hiboriana e olhar por baixo do véu dos tempos bárbaros do nosso guerreiro Conan.

Esta é a primeira narrativa de Conan do chamado Período Intermediário a ser escrita. Possui a fórmula do sucesso tão consagrada pelas revistas *pulp*, principalmente pela *Weird Tales:* uma bela donzela em perigo, ruínas antigas, uma ameaça sobrenatural e também sangrentos combates, em que a força de Conan é colocada à prova. Esses elementos formulaicos em nada diminuem seu valor. Pelo contrário, é um admirável conto com colossais estátuas de ferro, pirataria e heroísmo sangrento nos dias gloriosos de outrora.

A heroína é uma personagem inteligente que, ao lado de Conan, equilibra a história, trazendo alguns comentários sociais sutis. A história traz, em alguns pontos do enredo, inovações. Foi escrito no início do ano de 1933, mas publicado pela primeira vez somente em abril de 1934, sob o título de *Shadows in the Moonlight*.

SOMBRAS DE FERRO AO LUAR

I

Um repentino estrondo de cavalos cruzando os juncos altos; uma forte queda, um grito desesperado. Do corcel moribundo, a amazona se levantou cambaleando, uma garota esbelta que vestia sandálias e uma túnica com um cinto. Seus cabelos escuros desciam sobre seus ombros brancos, os olhos pareciam os de um animal aprisionado. Ela não olhou para a selva de juncos que rodeava a pequena clareira nem para as águas azuis que banhavam a costa baixa atrás dela. Seu olhar de espanto se fixou, com uma intensidade agonizante, no cavaleiro que saiu por entre os juncos e desceu do cavalo diante dela.

Ele era um homem alto, esguio, mas forte como aço. Da cabeça aos pés, vestia uma cota de malha prateada que se ajustava como uma luva à sua figura. Debaixo do elmo dourado em formato de domo, seus olhos castanhos a fitavam sarcasticamente.

— Afaste-se! — disse a garota, a voz trêmula de pavor. — Não toque em mim, Shah Amurath, ou irei me jogar na água e me afogar!

Ele riu, e seu riso foi como o som de uma espada deslizando de uma bainha de seda.

— Não, você não se afogará, Olivia, filha da confusão, pois a margem é rasa demais e eu posso alcançá-la antes que chegue às profundezas. Você me garantiu uma perseguição alegre, pelos deuses, e todos os meus homens estão muito atrás de nós. Entretanto, não há nenhum cavalo a oeste de Vilayet que possa manter distância de Irem por muito tempo. — Ele acenou com a cabeça para o garanhão do deserto, um animal alto e de pernas esguias, que se encontrava atrás dele.

— Deixe-me ir! — implorou a garota, as lágrimas de desespero manchando seu rosto. — Não sofri o suficiente? Existe alguma humilhação, dor ou degradação que você não tenha me infligido? Por quanto tempo deve durar o meu tormento?

— Pelo tempo que eu sentir prazer em suas lamúrias, apelos, lágrimas e contorções — respondeu o homem com um sorriso que teria parecido gentil a um estranho. — Você é curiosamente enérgica, Olivia. Eu me pergunto se algum dia irei me cansar de você, como sempre me cansei das mulheres que vieram antes. Apesar do que eu faço, você está sempre revigorada e imaculada. A cada dia que passa, me traz um novo deleite. Mas venha... voltemos para Akif, onde o povo ainda festeja o conquistador dos miseráveis kozakis. Enquanto ele, o conquistador, está empenhado em recapturar uma fugitiva desgraçada, tola, adorável e idiota!

— Não! — exclamou ela, recuando e se voltando para as águas azuis que batiam em meio aos juncos.

— Sim!

Seu lampejo de evidente raiva foi como uma faísca de uma pederneira. Com uma agilidade que seus membros macios não puderam antecipar, ele a agarrou pelo pulso, torcendo-o em pura crueldade arbitrária até que ela gritou e caiu de joelhos.

— Vagabunda! Eu deveria arrastá-la de volta para Akif na cauda do meu cavalo, mas terei misericórdia e a carregarei em minha sela, favor pelo qual você será humildemente grata, enquanto...

Ele a soltou praguejando de surpresa e deu um salto para trás, desembainhando a espada diante da terrível aparição que irrompeu da selva de juncos, emitindo um grito inarticulado de ódio.

Olhando para cima enquanto estava no chão, Olivia viu o que considerou ser um selvagem ou um louco avançando na direção de Shah Amurath como uma ameaça mortal. O sujeito era de constituição forte, estava nu a não ser por uma tanga amarrada ao redor dos quadris, manchada de sangue e com uma crosta de lama seca. Seus cabelos negros estavam cobertos de lama e sangue seco; havia manchas também de sangue seco em seu peito e membros, bem como na espada reta e longa que ele segurava em sua mão direita. Sob o emaranhado de seus cabelos, olhos raivosos brilhavam como brasas de fogo azul.

— Seu hirkaniano cretino! — vociferou a aparição com um sotaque bárbaro. — Os demônios da vingança o trouxeram aqui!

— Kozaki! — exclamou Shah Amurath, dando um passo para trás. — Eu não sabia que um dos miseráveis tinha escapado! Pensei que todos vocês estivessem mortos naquela estepe perto do rio Ilbars.

— Todos menos eu, seu maldito! — gritou o outro. — Ó, eu sonhei com um encontro assim, enquanto rastejava pelos arbustos, ou me escondia debaixo das rochas enquanto as formigas devoravam a minha carne, ou me afundava até a boca na lama... sonhei, mas nunca esperei que fosse acontecer. Ó, deuses do inferno, como ansiei por isso!

A alegria sanguinária daquele estranho era terrível de se ver. Suas mandíbulas espasmavam com impaciência, e espuma brotava de seus lábios enegrecidos.

— Para trás! — ordenou Shah Amurath, observando o sujeito cuidadosamente.

— Ha! — gritou, parecendo o latido de um lobo. — Shah Amurath, o grande Lorde de Akif! Ó, maldito seja, como eu adoro vê-lo... você, que entregou meus camaradas aos abutres como alimento, que os dilacerou entre cavalos selvagens, que os cegou e mutilou a todos eles, seu cretino, seu cretino imundo! — Sua voz se elevou para um grito enlouquecido, e ele atacou.

Apesar de aterrorizada com sua aparência feroz, Olivia esperava vê-lo morrer na primeira vez que as espadas se cruzassem. Louco ou selvagem, o que ele poderia fazer, nu, contra o chefe armado de Akif?

Houve um instante em que as lâminas brilharam e se chocaram, parecendo mal se tocarem e se separarem. Em seguida, a espada larga passou pela outra e desceu terrivelmente sobre o ombro de Shah Amurath. Olivia gritou diante da fúria daquele golpe. Mais alto do que o estalo da cota de malha sendo lacerada, ela ouviu com distinção o ruído da omoplata. O hirkaniano cambaleou para trás, repentinamente pálido, o sangue jorrando por entre os elos da cota, a espada escorregando dos dedos sem força.

— Misericórdia! — pediu Amurath, arquejando.

— Misericórdia? — Havia um tremor de delírio na voz do estranho. — Misericórdia como a que você nos deu, seu porco!

Olivia fechou os olhos. Aquilo não se tratava mais de uma luta, mas de uma carnificina frenética, sangrenta, impelida por uma histeria de fúria e de ódio, resultantes dos sofrimentos de batalha, massacre, tortura e fuga dominada pelo medo, enlouquecida de sede e assombrada pela fome. Embora Olivia soubesse que Shah Amurath não merecia misericórdia ou piedade de qualquer criatura viva, ela fechou os olhos e pressionou as mãos sobre os ouvidos, a fim de tapar a visão daquela espada gotejante, que subia e descia como o som do cutelo de um açougueiro, e bloquear os gritos gorgolejantes que diminuíram até cessar.

Ela abriu os olhos novamente para ver a tempo o estranho se afastando de uma massa disforme ensanguentada que vagamente lembrava um ser humano. O peito do homem inflava e esvaziava de exaustão e cólera; sua testa estava tomada de suor e a mão direita salpicada de sangue.

Ele não se dirigiu a ela ou mesmo olhou em sua direção. Ela o viu caminhar por entre os juncos que cresciam na beira d'água, curvar-se e puxar alguma coisa. Um barco saiu de seu esconderijo entre os caules dos juncos. Então ela adivinhou a intenção dele e se sentiu estimulada a agir.

— Oh, espere! — lamuriou-se, cambaleando e correndo na direção dele. — Não me deixe! Leve-me com você!

Ele se virou e a encarou. Havia uma diferença em sua postura. Seus olhos raivosos agora pareciam sensatos. Era como se o sangue que acabara de derramar tivesse extinguido o fogo de seu frenesi.

— Quem é você? — perguntou ele.

— Eu me chamo Olivia. Fui prisioneira *dele* e fugi. Ele me seguiu. É por isso que veio até aqui. Ó, não me deixe! Os guerreiros dele não estão muito longe. Encontrarão o corpo... e a mim... Ó! — Ela gemeu de medo e torceu as mãos brancas.

Ele a fitava, perplexo.

— Você ficaria melhor comigo? — questionou ele. — Sou um bárbaro e percebo que você tem medo de mim.

— Sim, tenho medo de você — respondeu ela, muito distraída para tentar disfarçar. — Minha pele se arrepia com o seu aspecto aterrorizante, mas temo mais os hirkanianos. Ó, deixe-me ir com você! Eles me torturarão se me encontrarem ao lado do seu capitão morto.

— Venha então.

Ele se afastou e Olivia entrou rapidamente no barco, encolhendo-se para evitar contato com aquele homem. Ela se sentou na proa, e ele subiu na embarcação, empurrou-a com um remo e, dando um impulso, abriu caminho tortuosamente entre os caules altos dos juncos até deslizarem longe da margem. Então ele começou a usar dois remos, dando braçadas largas e suaves, com os músculos fortes dos braços, ombros e costas ondulando no ritmo de seus esforços.

Fez-se silêncio por algum tempo, a garota agachada na proa, o homem puxando os remos. Ela o observava com uma fascinação tímida. Era evidente que aquele homem não era um hirkaniano e não se parecia com as raças hiborianas. Havia uma solidez lupina que o distinguia. Suas feições, considerando as tensões, as manchas de batalha e o seu esconderijo nos pântanos, refletiam a mesma selvageria indomada, mas não eram ruins nem degeneradas.

— Quem é você? — perguntou Olivia. — Shah Amurath o chamou de kozaki. Você pertencia àquele grupo?

— Meu nome é Conan e eu venho da Ciméria — grunhiu ele. — Eu estava aqui com os kozakis, que é como os hirkanianos cretinos nos chamavam.

Ela sabia vagamente que a terra que ele mencionara ficava a noroeste, além dos limites dos diferentes reinos de sua raça.

— Sou a filha do rei de Ophir — disse ela. — Meu pai me vendeu a um chefe semita, porque eu não queria me casar com um príncipe de Koth.

O cimério grunhiu, surpreso. Os lábios de Olivia se torceram em um sorriso amargo.

— Sim, de vez em quando, homens civilizados vendem seus filhos como escravos para os selvagens. Eles chamam a sua raça de bárbara, Conan da Ciméria.

— Não vendemos os nossos filhos — rosnou ele, o queixo se projetando para frente de forma truculenta.

— Bem, eu fui vendida. Porém, o homem do deserto não abusou de mim. Queria cair nas graças de Shah Amurath, e eu estava entre os presentes que ele levara aos jardins purpúreos de Akif. Então...

Ela estremeceu e escondeu o rosto nas mãos. Então continuou:

— Eu não deveria me envergonhar — disse Olivia logo em seguida. — Entretanto, cada lembrança açoita-me como um chicote. Morei no palácio de Shah Amurath até algumas semanas atrás, quando então ele partiu com suas tropas para enfrentar um bando de invasores que devastavam as fronteiras de Turan. Ontem, ele voltou vitorioso, e uma grande festa foi realizada para homenageá-lo. Na embriaguez e na alegria, encontrei uma oportunidade de fugir da cidade em um cavalo roubado. Pensei que tivesse escapado, mas ele me seguiu e, por volta do meio-dia, me alcançou. Consegui ultrapassar seus vassalos, mas não fui capaz de escapar dele. Então você apareceu.

— Eu estava escondido entre os juncos — grunhiu o bárbaro. — Eu era um daqueles invasores, os Companheiros Livres, que queimaram e saquearam ao longo das fronteiras. Éramos cinco mil, de várias raças e tribos. A maioria de nós era de mercenários a serviço de um príncipe rebelde no leste de Koth, porém, quando ele fez as pazes com seu maldito soberano, nos vimos desempregados, então começamos a saquear os domínios remotos de Koth, Zamora e Turan, sem distinção. Há uma semana, Shah Amurath nos encurralou com seus quinze mil homens perto das margens de Ilbars. Por Mitra! Os céus estavam negros de tantos abutres. Quando as linhas de combate se romperam, após um dia inteiro de luta, alguns tentaram fugir para o norte, outros para o oeste. Duvido que alguém tenha escapado. As estepes estavam tomadas de cavaleiros pisoteando os fugitivos. Eu fugi para o leste e, finalmente, cheguei à beira dos pântanos que margeiam esta parte de Vilayet. Desde então, venho me escondendo nos pântanos. Anteontem, os cavaleiros cessaram as buscas em meio aos juncos por fugitivos como eu. Eu me contorci, me enterrei e me escondi como uma cobra, me alimentando de ratos-almiscarados que capturei e comi crus, já que não havia fogo para cozinhá-los. Nesta madrugada, encontrei este barco aqui escondido entre os juncos. Não pretendia sair para o mar até anoitecer, mas, depois de ter matado Shah Amurath, eu soube que seus cães armados estariam por perto.

— E agora?

— Seremos perseguidos, sem dúvida. Se eles não verem as marcas deixadas pelo barco, que eu cobri da melhor forma que pude, adivinharão de qualquer forma que fomos para o mar, assim que não nos encontrarem entre os pântanos. Mas estamos na dianteira, e eu vou remar até chegarmos a um local seguro.

— Onde achar um lugar seguro? — perguntou Olivia, desesperada. — Vilayet é uma lagoa hirkaniana.

— Algumas pessoas não pensam assim — disse Conan, sorrindo seriamente. — Principalmente os escravos que escaparam das galés e se tornaram piratas.

— Mas quais são os seus planos?

— A costa sudoeste é guardada pelos hirkanianos por centenas de quilômetros. Ainda temos um longo caminho a percorrer antes de ultrapassarmos seus limites ao norte. Minha intenção é seguir nessa direção até que eu veja que os deixamos para trás. Em seguida, viraremos para o oeste e tentaremos atracar na costa delimitada pelas estepes desabitadas.

— Suponho que encontraremos piratas ou uma tempestade — especulou ela. — E morreremos de fome nas estepes.

— Bem — lembrou ele —, eu não pedi para que você viesse comigo.

— Sinto muito. — Ela curvou a cabeça morena e simétrica. — Piratas, tempestade, fome... isso tudo é... melhor do que o povo de Turan.

— Sim. — O rosto moreno de Conan se tornou sombrio. — Ainda não acabei com eles. Fique tranquila, garota. Tempestades são coisa rara em Vilayet nesta época do ano. Se chegarmos às estepes, não morreremos de fome. Fui criado em uma terra escassa. Foram aqueles malditos pântanos, com seu fedor e suas ferroadas de mosquitos, que quase acabaram comigo. Nas terras altas, eu me sinto em casa. Quanto aos piratas... — Ele sorriu enigmaticamente e se curvou sobre os remos.

O sol afundou como uma esfera de cobre brilhante em um lago de fogo. O azul do mar se fundiu com o azul do céu, e ambos se transformaram em um veludo escuro e agradável, repleto de estrelas e de seus reflexos. Olivia se reclinou na proa do barco, que balançava suavemente, em um estado onírico e irreal. Ela teve a ilusão de estar flutuando no ar, com as estrelas acima e abaixo de si. A silhueta de seu silencioso companheiro estava vagamente gravada contra a escuridão mais suave. Não houve pausa ou hesitação no ritmo de suas remadas; ele poderia ter sido um remador fantasmagórico, remando pelo lago escuro da Morte. Todavia, o seu medo foi amortecido e, embalada pela monotonia do movimento, Olivia caiu em um sono tranquilo.

O amanhecer surgiu diante de seus olhos quando ela despertou, sentindo uma fome voraz. Foi uma mudança no movimento do barco que a acordou; Conan se apoiava nos remos e olhava para além dela. Olivia percebeu que havia remado a noite inteira sem parar e ficou maravilhada com sua resistência.

Ela se virou para seguir o olhar dele e viu uma parede verde de árvores e arbustos se erguendo da beira da água e se estendendo em uma curva ampla, envolvendo uma pequena baía cujas águas eram imóveis como um cristal azul.

— Esta é uma das inúmeras ilhas que pontilham esse mar interior — disse Conan. — Devem ser desabitadas. Ouvi dizer que os hirkanianos raramente as visitam. Além disso, eles geralmente passam pelas costas em suas galés, e já percorremos um longo caminho. Antes de o sol se pôr, estávamos fora da visão que se tem do continente.

Com algumas remadas, ele levou o barco para a costa e amarrou a corda na raiz de uma árvore que se erguia da beira da água. Pisando em terra firme, ele estendeu a mão para ajudar Olivia. Ela a aceitou, estremecendo levemente com as manchas de sangue sobre a pele dele, sentindo um breve lampejo da força dinâmica que se escondia nos músculos do bárbaro.

Um silêncio onírico pairava sobre a floresta que margeava a baía azul. Então, em algum lugar bem atrás das árvores, um pássaro fez seu gorjeio matinal. Uma brisa sussurrou entre as folhas e as fez murmurar. Olivia se deu conta de que ouvia alguma coisa com atenção, mas não sabia o quê. O que poderia estar escondido naquelas florestas sem nome?

Enquanto ela espiava timidamente as sombras entre as árvores, algo passou para a luz do sol com um rápido redemoinho de asas: era um enorme papagaio que havia pousado em um galho frondoso e ali se balançou, uma imagem cintilante de jade e carmesim. Ele virou sua cabeça cristada para o lado e observou os invasores com olhos brilhantes da cor de âmbar-negro.

— Por Crom! — murmurou o cimério. — Eis aqui o avô de todos os papagaios. Deve ter mil anos! Veja a sabedoria maligna dos seus olhos. Que mistérios você guarda, sábio diabo?

De repente, o pássaro abriu as asas flamejantes e, se erguendo de seu galho, gritou desesperadamente *Yagkoolan yok tha, xuthalla!*

E, com um guincho selvagem que mais parecia uma risada terrivelmente humana, apressou-se por entre as árvores e desapareceu nas sombras opalescentes.

Olivia ficou olhando para o animal, sentindo um pressentimento inominável que trazia um arrepio na espinha.

— O que ele disse? — sussurrou ela.

— Palavras humanas, eu juro — respondeu Conan —, mas não posso dizer em qual língua.

— Nem eu — replicou a garota. — Porém, deve ter aprendido com alguém. Humano ou... — Ela olhou para fortaleza frondosa e estremeceu ligeiramente, sem saber o motivo.

— Por Crom, estou com fome! — resmungou o cimério. — Seria capaz de comer um búfalo inteiro. Vamos procurar frutas, mas primeiro lavarei essa lama e esse sangue seco do meu corpo. Esconder-se em pântanos é algo bastante desagradável.

Com isso, ele deixou de lado a espada e, entrando na água azul até os ombros, começou a se lavar. Quando emergiu, seus membros cor de bronze e bem delineados brilhavam, a cabeleira negra e esvoaçante não estava mais emaranhada. Os olhos azuis, embora ardessem com uma chama inextinguível, não estavam mais turvos ou raivosos. Contudo, a flexibilidade de tigre de seus membros e o aspecto perigoso das feições não sofreram alteração.

Amarrando sua espada de volta, ele gesticulou para que a garota o seguisse, e ambos deixaram a costa, passando sob os arcos frondosos dos galhos enormes. Sob seus pés, havia uma relva verde e rente que amortecia seus passos. Entre os troncos das árvores, eles vislumbraram paisagens encantadoras.

Passado pouco tempo, Conan grunhiu de prazer ao ver globos dourados e vermelhos pendurados em cachos entre as folhas. Sinalizando para que a garota se sentasse em alguma árvore caída, ele encheu o colo dela com as iguarias exóticas e, em seguida, ele mesmo se rendeu ao banquete com uma vontade indisfarçável.

— Ishtar! — exclamou ele, entre mordidas. — Desde Ilbars, tenho vivido de ratos e raízes que arranquei da lama fedorenta. Isso aqui é uma delícia, mas não satisfaz muito. Ainda assim, vai servir se comermos o bastante.

Olivia estava ocupada demais para responder. A voracidade do cimério havia diminuído, então ele começou a olhar para a sua bela companheira com mais interesse do que antes, prestando atenção nos cachos brilhantes de seus cabelos escuros, os tons de flor de pêssego da pele delicada e os contornos arredondados de sua figura esbelta, exibidos vantajosamente pela curta túnica de seda.

Terminando a refeição, o objeto de seu escrutínio ergueu os olhos e, encontrando o seu olhar ardente e semicerrando os olhos, ela enrubesceu e o que restava da fruta caiu de seus dedos.

Sem dizer nada, Conan gesticulou que eles deveriam continuar as explorações e, levantando-se, ela o seguiu para longe das árvores na direção de uma clareira, cuja extremidade oposta era delimitada por um denso matagal. Quando ambos chegaram à área aberta, deu-se um estrondo no mesmo matagal, e Conan, saltando para o lado e carregando consigo a garota, por pouco os livrou de alguma coisa que voava pelo ar e acabou atingindo o tronco de uma árvore com um impacto violento.

Brandindo a espada, Conan saltou pela clareira e se enfiou no matagal. Tudo estava silencioso, enquanto Olivia se agachava na relva, apavorada e perplexa. Em pouco tempo, o bárbaro reapareceu com uma expressão intrigada no rosto.

— Não há nada naquele matagal — rosnou. — Mas tinha algo... Ele estudou a coisa que por pouco não os atingiu e, então, grunhiu sem acreditar, como se não pudesse confiar em seus próprios sentidos. Era um enorme bloco de pedra esverdeada que se encontrava na relva ao pé da árvore, cuja madeira havia sido estraçalhada com o impacto.

— Uma pedra estranha de se encontrar em uma ilha deserta — rosnou Conan.

Os olhos adoráveis de Olivia se arregalaram de admiração. A pedra era um bloco simétrico, sem dúvida cortado e moldado por mãos humanas. E era surpreendentemente grande. O cimério o agarrou com as duas mãos e, com as pernas firmes e os músculos dos braços e costas tensionados, ele ergueu o bloco sobre a cabeça e o arremessou, investindo no movimento toda a força que havia em seus nervos e tendões. Em seguida, Conan praguejou.

— Nenhum homem vivo poderia atirar aquela pedra nesta clareira. É um trabalho feito por máquinas de cerco. Entretanto, não há nenhuma balista ou catapulta por aqui.

— Talvez tenha sido atirada por alguma máquina que esteja longe — sugeriu ela.

Ele balançou a cabeça.

— A pedra não caiu de cima. Veio daquele matagal. Está vendo como os galhos estão partidos? Foi arremessada como um homem faria com um seixo. Mas quem? O quê? Venha!

Hesitante, ela o seguiu até o matagal. Adentrando a parte externa de arbustos frondosos, a vegetação rasteira era menos densa. Havia um silêncio absoluto pairando sobre tudo. A relva macia não apresentava sinais de pegadas. Contudo, daquela área misteriosa havia sido atirada aquela pedra, rápida e mortal. Conan se inclinou para observar mais de perto, onde a grama se encontrava amassada aqui e ali. Ele balançou a cabeça com raiva. Mesmo para os seus olhos aguçados, não havia nenhuma pista sobre o que parara ou pisara ali. Seu olhar vagou então para as copas verdes acima de suas cabeças, um teto sólido de folhas grossas e arcos entrelaçados. E, de repente, ele congelou.

Em seguida, endireitando a postura e com a espada na mão, Conan começou a recuar, empurrando Olivia para trás dele.

— Vamos sair daqui, rápido! — incitou ele em um sussurro que fez o sangue da garota gelar.

— O que é? O que você vê?

— Nada — respondeu Conan com cautela, sem interromper sua prudente retirada.

— Mas o que é então? O que está à espreita neste matagal?

— Morte! — disse ele, com o olhar ainda fixo nos arcos cor de jade que bloqueavam a vista do céu.

Uma vez que saíram do matagal, ele pegou a mão de Olivia e a conduziu às pressas através das árvores esparsas, até que subiram uma encosta gramada, praticamente sem árvores, e alcançaram um planalto baixo, onde a relva crescia mais alta e as árvores eram poucas e espalhadas. No centro daquela área, erguia-se uma estrutura longa e ampla de ruínas de pedra esverdeada.

Eles ficaram pasmos. Nenhuma lenda mencionava tal construção em nenhuma ilha de Vilayet. Ambos se aproximaram com cuidado, percebendo o musgo e o líquen que cobriam as pedras, bem como o telhado quebrado que se abria para o céu. Por todos os lados, havia pedaços e fragmentos de alvenaria, parcialmente escondidos na grama ondulante, dando a impressão de que antigamente muitas construções como aquela tinham sido erguidas ali, talvez uma cidade inteira. Todavia, agora apenas a longa estrutura em forma de salão se encontrava de pé contra o céu, e suas paredes se inclinavam em meio às trepadeiras rastejantes.

Quaisquer que fossem as portas que outrora guardavam suas entradas, há muito haviam apodrecido. Conan e sua companheira pararam na ampla entrada e olharam para dentro. A luz do sol penetrava através de frestas nas paredes e no teto, fazendo com que o interior parecesse uma trama de luz e sombra. Agarrando a espada com firmeza, Conan entrou, com os passos e a postura curvada de uma pantera caçadora, a cabeça baixa e os pés silenciosos. Olivia o seguiu na ponta dos pés.

Uma vez lá dentro, Conan grunhiu, surpreso, e Olivia abafou um grito.

— Veja! Oh, veja!

— Eu vejo — disse ele. — Não há nada a temer. São estátuas.

— Mas são tão realistas... e parecem tão perversas! — sussurrou ela, aproximando-se dele.

Eles se encontravam em um grande salão, cujo piso era de pedra polida, coberto de poeira e pedras quebradas que haviam caído do teto. Trepadeiras, crescendo entre as pedras, mascaravam as fendas. O teto, elevado e plano, era sustentado por colunas grossas e enfileiradas nas laterais das paredes. E em cada espaço entre tais colunas, havia uma imagem estranha.

Eram estátuas, aparentemente de ferro, pretas e brilhantes como se fossem frequentemente polidas. Elas tinham tamanho real, representando homens altos e poderosos, com rostos cruéis como os de falcões. Estavam nus, e cada ondulação, depressão e contorno de articulações e tendões era representado com um realismo incrível. Entretanto, a característica mais realista de todas eram seus rostos orgulhosos e intolerantes. Aquelas feições não haviam sido fundidas no mesmo molde. Cada um deles possuía suas próprias características individuais, embora apresentassem uma semelhança tribal em comum com os demais. Não havia nada da uniformidade monótona da arte decorativa, pelo menos não nas faces.

— Eles parecem estar ouvindo... e esperando! — sussurrou a garota, ansiosa.

Conan bateu o punho contra uma das estátuas.

— É ferro — disse ele. — Mas por Crom! Em que moldes elas foram fundidas?

O bárbaro balançou a cabeça e encolheu os ombros enormes, perplexo.

Olivia olhou timidamente ao redor do enorme salão silencioso. Somente as pedras cobertas de hera e os pilares envoltos por gavinhas, com as imagens meditando entre eles, encontraram seu olhar. Ela se remexeu, inquieta, e desejou ir embora, mas as estátuas exerciam um estranho fascínio em seu companheiro. Ele as examinou minuciosamente e, como um bárbaro, tentou quebrar seus membros. Entretanto, o material resistiu aos seus melhores esforços. Ele não conseguiu desfigurar nem remover uma única imagem de seu nicho. Por fim, desistiu, praguejando de tanta admiração.

— De que espécie de homem essas imagens foram copiadas? — perguntou ele a ninguém em específico. — Essas estátuas são negras, mas não se parecem com os negros. Nunca vi algo assim.

— Vamos para a luz do sol — pediu Olivia, e ele assentiu, dando uma olhada perplexa para as imagens taciturnas ao longo das paredes.

Então eles saíram do salão escuro e foram para a luz do sol de verão. Ela ficou surpresa ao notar a posição do sol no céu; eles tinham passado mais tempo naquelas ruínas do que ela imaginava.

— Voltemos ao barco — sugeriu ela. — Estou com medo daqui. É um lugar estranho e maligno. Não sabemos quando seremos atacados pelo que quer que tenha atirado aquela pedra.

— Acho que estamos seguros, desde que não fiquemos sob as árvores — replicou ele. — Venha.

O planalto, cujas laterais desciam em direção às costas arborizadas no leste, oeste e sul, inclinava-se ao norte para cima e ia de encontro a um emaranhado de penhascos rochosos, que era o ponto mais alto da ilha. Conan seguiu caminho para lá, adaptando os passos largos aos da sua companheira. De vez em quando, seu olhar pousava inescrutavelmente sobre ela, e Olivia sabia disso.

Eles alcançaram a extremidade norte do planalto e ficaram encarando o declive íngreme dos penhascos. As árvores cresciam densamente ao longo da margem do planalto a leste e oeste dos rochedos e se prendiam à inclinação escarpada. Conan olhou para aquelas árvores com desconfiança, mas começou a subir, ajudando a companheira na escalada. A encosta não era íngreme e era descontinuada por saliências e pedras. O cimério, nascido em uma região montanhosa, poderia ter subido como um gato, mas Olivia encontrava dificuldades. Repetidas vezes, ela era levantada do chão após cair ou auxiliada a passar por cima de algum obstáculo, o que fez crescer a sua admiração pelo poder físico daquele homem. Ela já não considerava repugnante o seu toque. Havia uma promessa de proteção naqueles braços firmes.

Por fim, eles chegaram ao cume, os cabelos se agitando com o vento que vinha do mar. De seus pés, os penhascos desciam por uns cem ou cento e trinta metros até um estreito emaranhado de bosques que margeavam a praia. Olhando para o sul, eles viram a ilha inteira estendida como um enorme espelho oval, as bordas chanfradas descendo rapidamente na direção de uma margem verde, exceto onde havia as inclinações dos penhascos. Até onde conseguiam ver, por todos os lados, estendiam-se as águas azuis, paradas, plácidas, dissipando-se em neblinas oníricas e distantes.

— O mar está parado — disse Olivia, suspirando. — Por que não retomamos nossa viagem?

Parado como uma estátua de bronze nos penhascos, Conan apontou para o norte. Forçando os olhos, Olivia viu uma mancha branca que parecia suspensa na névoa melancólica.

— O que é?
— Uma vela.
— Hirkanianos?
— Quem sabe, a essa distância?

— Eles irão ancorar aqui... e procurar por nós na ilha! — gritou ela, em um sinal rápido de pânico.

— Duvido muito. Eles vêm do norte, então não podem estar à nossa procura. Podem parar por algum outro motivo e, nesse caso, teremos que nos esconder o melhor que pudermos. Mas acredito que sejam piratas ou uma galé hirkaniana voltando de algum ataque no norte. Assim, é improvável que ancorem aqui. Porém, não podemos navegar até que tenham sumido de vista, pois estão vindo da direção na qual devemos ir. Certamente eles passarão pela ilha esta noite e, ao amanhecer, poderemos seguir o nosso caminho.

— Então teremos que passar a noite aqui? — perguntou Olivia, estremecendo.

— É o mais seguro.

— Então dormiremos aqui nos penhascos — insistiu ela.

Ele balançou a cabeça, olhando para as árvores atrofiadas, para a floresta que se estendia abaixo, uma aglomeração verde que parecia enviar gavinhas pelas laterais dos rochedos.

— Aqui tem muitas árvores. Dormiremos nas ruínas.

Ela gritou em protesto.

— Nada irá lhe fazer mal lá — disse ele para acalmá-la. — O que quer que tenha lançado a pedra em nós não nos seguiu para fora do matagal. Não havia nada que mostrasse que alguma coisa selvagem mora nas ruínas. Além disso, você tem a pele macia e está acostumada a ter abrigo e caprichos. Eu seria capaz de dormir nu na neve sem sentir desconforto algum, mas o orvalho lhe daria câimbras se dormíssemos no ar livre.

Impotente, Olivia concordou, e os dois desceram os penhascos, cruzaram o planalto e, mais uma vez, aproximaram-se das ruínas sombrias e assombradas pelo tempo. Àquela altura, o sol estava se pondo abaixo da margem do planalto. Eles haviam encontrado frutas nas árvores perto dos rochedos, que constituíram seu jantar, tanto em comida quanto em bebida.

A noite austral caiu rapidamente, cobrindo o céu azul-marinho com grandes estrelas brancas, e Conan entrou nas ruínas escuras puxando Olivia atrás de si. Ela estremeceu ao ver aquelas sombras negras e tensas em seus respectivos nichos ao longo das paredes. No breu que a luz das estrelas apenas tocava levemente, ela não conseguia distinguir seus contornos; só podia sentir a postura de espera das estátuas — esperando como faziam há incontáveis séculos.

Conan havia levado uma grande quantidade de ramos macios, bem folheados, ele os amontoou para fazer um leito para Olivia, e ela se deitou ali, com a curiosa sensação de alguém que se deita no covil de uma serpente.

Quaisquer que fossem seus pressentimentos, Conan não os compartilhava. O cimério se sentou perto dela, as costas apoiadas em um pilar e a espada em seu colo. Seus olhos brilhavam como os de uma pantera na escuridão.

— Dorme, garota — disse ele. — Meu sono é leve como o de um lobo. Nada poderá entrar neste salão sem me acordar.

Olivia não respondeu. Da sua cama de folhas, ela observou a figura imóvel, indistinta na escuridão suave. Que estranho era viajar na companhia de um bárbaro, ser cuidada e protegida por alguém de uma raça cujas histórias a assustavam tanto quando criança! Ele vinha de um povo sanguinário, severo e feroz. Sua afinidade com a natureza era evidente em cada uma de suas ações; queimava em seus olhos ardentes. Entretanto, ele não a tinha prejudicado, e seu pior opressor havia sido um sujeito que o mundo chamava de civilizado. Quando um delicioso langor tomou conta de seus membros relaxados e ela mergulhou em ondas macias de sono, seu último pensamento antes de dormir foi uma preguiçosa lembrança do toque firme dos dedos de Conan em sua carne macia.

II

Olivia sonhou e, em meio aos seus sonhos, infiltrou-se sorrateiramente a sugestão de que algo maligno estava à espreita, como uma serpente negra se movendo lentamente em jardins floridos. Eles eram desconexos e coloridos, fragmentos exóticos de um padrão interrompido e desconhecido, até que se cristalizaram em uma cena de horror e loucura, gravada contra um fundo de pedras e pilares ciclópicos.

Ela viu um enorme salão, cujo teto elevado era sustentado por colunas de pedra, dispostas em fileiras regulares ao longo das maciças paredes. Entre tais colunas, voavam papagaios grandes, verdes e vermelhos, e o local estava cheio de guerreiros de pele negra e rostos de falcão. Eles não eram negros *per se*. Nem eles nem suas vestes, nem as armas se pareciam com nada do mundo que a sonhadora conhecia.

Eles estavam se apinhando ao redor de um prisioneiro em um dos pilares: um jovem esguio de pele branca, com uma mecha de cachos que pendiam sobre sua testa de alabastro. Sua beleza não era inteiramente humana — era como um deus fantasioso, esculpido em mármore vivo.

Os guerreiros negros riam dele, zombavam e o provocavam em uma língua estranha. A figura nua e flexível se contorcia sob aquelas mãos cruéis. O sangue escorria pelas coxas de marfim e salpicava o chão polido. Os gritos da vítima ecoavam pelo salão; em seguida, erguendo a cabeça em direção ao teto e aos céus, ele gritou um nome com uma voz impressionante. Uma adaga que se encontrava em uma mão de ébano interrompeu o grito, e a cabeça dourada pendeu sobre o peito de marfim.

Como se em resposta àquele grito desesperado, ouviu-se um barulho alto de trovão, como se fossem rodas de carruagens celestiais, e uma figura surgiu diante dos assassinos, como se tivesse se materializado no ar. Era um homem, mas nenhum mortal jamais exibira tal aspecto de beleza inumana. Havia uma semelhança inconfundível entre ele e o jovem sem vida preso às correntes, mas o traço de humanidade que suavizava as características divinas do rapaz faltava nas feições do estranho, temível e imóvel em sua beleza.

Os guerreiros negros se encolheram diante dele, e seus olhos eram como fendas de fogo. Ele ergueu a mão e falou, e suas inflexões ecoaram pelos corredores silenciosos em ricas e profundas ondas sonoras. Como se em transe, os guerreiros negros recuaram até se alinharem regularmente ao longo das paredes. Então, dos lábios esculpidos do estranho, soou um comando e uma terrível invocação: *Yagkoolan yok tha, xuthalla!*

Com a explosão daquele grito medonho, as figuras negras enrijeceram e ficaram imóveis. Uma rigidez curiosa, uma petrificação não natural, tomou conta de seus corpos. O estranho tocou o corpo sem vida do rapaz e, então, as correntes se soltaram e caíram. Ele ergueu o cadáver em seus braços; em seguida, antes de se virar, seu olhar tranquilo perscrutou novamente as silenciosas fileiras de figuras de ébano, e ele apontou para a lua, que brilhava através das janelas. E os guerreiros negros entenderam, aquelas estátuas tensas e imóveis que até pouco tempo eram homens.

Olivia despertou, sentando-se assustada em seu leito de ramos, com suor frio escorrendo de sua pele. O coração batia forte no silêncio. Ela olhou ao redor descontroladamente. Conan dormia apoiado em seu pilar, a cabeça caída sobre o peito enorme. O brilho prateado da lua rastejava pelo telhado quebrado, lançando longas linhas brancas pelo chão empoeirado. Ela quase podia ver as estátuas — pretas, tensas e imóveis. Lutando contra uma histeria crescente, a garota viu os raios do luar repousarem levemente sobre os pilares e as figuras entre eles.

O que era aquilo? Algo se mexia entre as sombras iluminadas pela luz da lua. Uma paralisia de horror a envolveu, já que havia movimento onde deveria haver a imobilidade da morte: uma lenta contração, uma flexão e contorção dos membros de ébano — um grito terrível explodiu de seus lábios quando ela se livrou das amarras que a mantinham muda e inerte. Com isso, Conan ficou ereto, os dentes brilhando, a espada em riste.

— As estátuas! As estátuas! *Oh, meu Deus... as estátuas estão ganhando vida!*

E com o grito, Olivia saltou através de uma fenda na parede, irrompeu loucamente pelo emaranhado de trepadeiras, correu, correu e correu, gritando, irracionalmente... até que um aperto em seu braço a fez parar e ela gritou e lutou contra os braços que a agarraram, até que uma voz familiar penetrou nas brumas de seu terror, e ela viu o rosto de Conan, uma máscara de perplexidade ao luar.

— Por Crom, mas que diabos, garota? Você teve um pesadelo? — perguntou ele, com a voz parecendo estranha e distante.

Com suspiros chorosos, ela jogou os braços em torno do pescoço grosso dele e se agarrou convulsivamente, chorando resfolegante.

— Onde estão elas? Fomos seguidos?

— Ninguém nos seguiu — respondeu Conan.

Ela se sentou, ainda agarrada a ele, e parecia com medo. Sua fuga cega a levou até a borda sul do planalto. Logo abaixo deles, ficava uma encosta, cujo fundo era encoberto pelas grossas sombras da floresta. Atrás, ela viu as ruínas se avultando ameaçadoramente sob a lua no céu.

— Você não os viu? As estátuas se mexendo, levantando as mãos, os olhos brilhando nas sombras?

— Não vi nada — respondeu o bárbaro, inquieto. — Meu sono foi mais profundo do que o de costume, porque fazia muito tempo que não dormia a noite toda; no entanto, creio que nada poderia ter entrado no corredor sem me acordar.

— Nada entrou — disse ela com uma risada histérica que escapou de seus lábios. — Já havia algo aqui. Ah, Mitra, nos deitamos entre eles para dormir, como ovelhas fazendo suas camas no matadouro!

— Do que você está falando? — inquiriu ele. — Acordei com o seu grito, mas, antes de poder olhar os arredores, vi você correr pela fenda na parede. Fui atrás para que não se machucasse. Pensei que tivesse tido um pesadelo.

— E eu tive! — Olivia estremeceu. — Mas a realidade foi mais terrível do que o sonho. Preste atenção!

Então ela narrou tudo que aconteceu em seu sonho e que pensou ter visto.

Conan ouviu com atenção. O ceticismo natural do homem sofisticado não lhe pertencia. Sua mitologia falava de vampiros, *goblins* e necromantes. Depois que ela terminou, ele ficou sentado em silêncio, brincando distraído com sua espada.

— O jovem que foi torturado era como o homem alto que apareceu em seguida? — perguntou ele por fim.

— Como se fossem pai e filho — respondeu Olivia e prosseguiu, hesitante. — Se a mente pudesse conceber a descendência de uma união entre divindade e humanidade, aquele jovem a representaria. Os deuses dos tempos antigos se uniam com as mulheres mortais de vez em quando, segundo nossas lendas.

— Quais deuses? — murmurou ele.

— Os inomináveis, os esquecidos. Quem pode saber? Eles retornaram às águas paradas dos lagos, aos corações tranquilos das colinas, aos golfos além das estrelas. Os deuses não são mais estáveis do que os homens.

— Mas se essas estátuas fossem homens, transformados em ferro por algum deus ou demônio, como podem voltar à vida?

SOMBRAS DE FERRO AO LUAR

— Há bruxaria na lua — respondeu ela, estremecendo. — *Ele* apontou para ela; enquanto brilha sobre elas, elas vivem. É no que acredito.

— Mas nós não fomos perseguidos — murmurou Conan, olhando para as ruínas ameaçadoras. Você pode ter sonhado que elas se mexeram. Estou decidido a voltar e ver.

—Não, não! — gritou Olivia, agarrando-se a ele desesperadamente. — Talvez o feitiço sobre as estátuas as mantenha no salão. Não volte! Elas vão estraçalhá-lo, membro a membro! Ó, Conan, vamos pegar o nosso barco e fugir desta ilha horrorosa! Certamente o navio hirkaniano já passou por nós agora! Vamos!

Sua súplica era tão desvairada que Conan ficou impressionado. A curiosidade que ele sentia em relação às estátuas foi equilibrada pela superstição. Ele não temia inimigos de carne e osso, por maiores que fossem as disputas, mas qualquer indício de sobrenatural despertava todos os instintos obscuros e monstruosos de medo que faziam parte da herança do bárbaro.

Ele pegou a mão da garota e ambos desceram a encosta e adentraram a densa floresta, onde as folhas sussurravam e pássaros noturnos desconhecidos murmuravam sonolentos. Sob as árvores, as sombras se agrupavam, e Conan desviou delas para evitar os trechos mais escuros. Seus olhos vagavam sem parar de um lado para o outro, e diversas vezes fitavam os galhos acima de suas cabeças. Ele seguia com rapidez, mas ainda assim com cautela, o braço envolvendo a cintura de Olivia com tanta força que ela sentia como se estivesse sendo carregada, em vez de guiada. Nenhum dos dois falava. O único som era o da respiração acelerada e nervosa da garota e o farfalhar de seus pés pequenos na grama. Então eles atravessaram as árvores até a beira d'água, que brilhava como prata derretida ao luar.

— Devíamos ter trazido frutas para comer — murmurou Conan —, mas certamente encontraremos outras ilhas. Tanto faz irmos agora ou mais tarde; faltam apenas algumas horas para o amanhecer...

Sua voz foi enfraquecendo. A corda do barco ainda estava presa à raiz da árvore. Entretanto, na outra ponta, havia apenas restos destruídos, despedaçados e parcialmente submersos na água rasa.

Um grito abafado escapou da boca de Olivia. Conan virou o corpo, encarou as sombras densas e curvou-se, em uma postura ameaçadora. O ruído dos pássaros noturnos silenciou de repente. Uma quietude alarmante reinou sobre a floresta. Nenhuma brisa movia os galhos, mas em algum lugar as folhas se remexeram levemente.

Ágil como um enorme felino, Conan agarrou Olivia e correu. Atravessou rapidamente as sombras como um fantasma, enquanto em algum lugar acima algo obstinado os seguia curiosa e apressadamente entre as folhas e se aproximava cada vez mais. Então o luar atingiu seus rostos, e eles aceleravam pela encosta do planalto.

No topo, Conan colocou Olivia no chão e se virou para observar o abismo de sombras de onde havia acabado de sair. As folhas balançaram com uma brisa repentina; e só. Ele sacudiu os cabelos com um rosnado raivoso. Olivia se levantou como uma criança assustada. Seus olhos, que eram poços de profundo pavor, encararam-no.

— O que devemos fazer, Conan? — sussurrou ela.

Ele olhou para as ruínas e, novamente, para a floresta abaixo.

— Nós iremos para os penhascos — declarou ele, levantando Olivia. — Amanhã, construirei uma jangada e confiaremos novamente a nossa sorte ao mar.

— Será que não foram... *eles* que destruíram o nosso barco? — disse ela, meio em tom de pergunta e meio de afirmação.

Ele balançou a cabeça seriamente.

Cada passo do caminho através daquele planalto assombrado pela lua era um terror que fazia Olivia suar frio, mas nenhuma figura negra escapou sutilmente das ruínas e, por fim, eles alcançaram o sopé dos penhascos, que se avolumavam, resolutos e sombriamente imponentes, à frente deles. Ali, Conan parou, incerto sobre qual direção tomar, e finalmente escolheu um local protegido por uma saliência ampla, longe de quaisquer árvores.

— Deite-se e durma se puder, Olivia — disse ele. — Ficarei de vigia.

Entretanto, ela não conseguiu dormir e ficou olhando as ruínas a distância e a orla arborizada até que as estrelas ficassem pálidas, o leste embranquecesse e o nascer do sol lançasse seus tons rosados e dourados sobre o orvalho que cobria a grama.

Ela se levantou, tensa, com a mente revisitando todos os acontecimentos da noite. À luz da manhã, alguns de seus terrores pareciam frutos de uma imaginação exagerada. Conan caminhou até ela, e suas palavras a deixaram animada.

— Pouco antes de amanhecer, ouvi madeiras rangendo e cordas e remos estalando. Um navio atracou e ancorou na praia não muito longe daqui, provavelmente aquele cuja vela vimos ontem. Vamos subir os penhascos e espioná-lo.

Eles subiram e, deitados de bruços entre as rochas, viram um mastro pintado se projetando além das árvores a oeste.

— Uma embarcação hirkaniana, dado o formato de seu cordame — murmurou Conan. — Eu me pergunto se a tripulação...

Uma confusão distante de vozes chegou aos seus ouvidos e, rastejando para a borda sul dos penhascos, eles viram uma horda variada emergir das árvores ao longo da margem oeste do planalto e ficar ali por um momento para debater. Houve muito floreio de armas, ostentação de espadas e discussões altas e intensas. Então todo o grupo começou a cruzar o planalto rumo às ruínas, em um declive que os levaria ao sopé dos penhascos.

— Piratas! — sussurrou Conan com um sorriso cruel em seus lábios finos. — É uma galé hirkaniana que eles saquearam. Aqui... rasteje por essas rochas. Não apareça para eles a menos que eu chame você — insistiu ele, deixando Olivia escondida em meio a um emaranhado de pedras ao longo do topo do penhasco. — Vou encontrar esses cretinos. Se eu for bem-sucedido em meu plano, tudo ficará bem e nós partiremos com eles. Se eu não conseguir... bem, se esconda nas rochas até que eles sumam, pois nenhum demônio nesta ilha é tão cruel quanto estes lobos do mar.

E se desvencilhando do aperto relutante da garota, ele desceu rapidamente os penhascos.

Observando temerosa de seu ninho, Olivia viu que o bando havia se aproximado do sopé. Enquanto ela olhava, Conan saiu das pedras e os enfrentou, com a espada em punho. Eles retribuíram com gritos de ameaça e surpresa; em seguida, pararam, incertos, para fitar a figura que havia surgido tão de repente das rochas. Havia cerca de setenta deles, uma horda selvagem composta de homens de diversas nações: kothianos, zamorianos, britunianos, coríntios e semitas. As feições refletiam a selvageria de sua natureza. Muitos apresentavam cicatrizes de chicote ou de ferro em brasa. Havia orelhas cortadas, narizes decepados, órbitas oculares vazias, tocos de pulsos... marcas do carrasco e também de batalha. A maioria estava seminua, mas as roupas que usavam eram de boa qualidade: jaquetas trançadas de ouro, cintos de cetim e calças de seda, em farrapos e manchadas de alcatrão e sangue; tudo contrastava com peças de armaduras com acabamento em prata. As joias cintilavam nas argolas do nariz e nos brincos, bem como nos cabos de suas adagas.

Diante daquela multidão bizarra, estava um cimério alto, que contrastava devido aos membros fortes e bronzeados e à sua figura bem torneada.

— Quem é você? — rugiram os piratas.

— Conan, o cimério — respondeu ele. Sua voz era como a

provocação intensa de um leão. — Um dos membros dos Companheiros Livres. Pretendo tentar minha sorte com a Fraternidade Vermelha. Quem é o seu comandante?

— Eu, por Ishtar! — berrou uma voz que parecia um touro, enquanto uma figura enorme avançava com arrogância; era um gigante, nu da cintura para cima, a barriga larga envolta por uma faixa ampla que sustentava pantalonas volumosas de seda. A cabeça era raspada, exceto por uma mecha no couro cabeludo; os bigodes caíam sobre a boca, que mais parecia uma ratoeira. Sandálias semitas verdes com pontas curvadas estavam em seus pés, enquanto sua mão carregava uma espada longa e reta.

Conan olhou para ele fixamente.

— Sergius de Khrosha, por Crom!

— Sim, por Ishtar! — gritou o gigante, seus pequenos olhos negros cintilando de ódio. — Você achou que eu havia me esquecido? Ha! Sergius nunca se esquece de um inimigo. Agora vou pendurar você pelos calcanhares e esfolá-lo vivo. Para cima, rapazes!

— Isso, mande seus cães para cima de mim, barrigudo — desdenhou Conan com um desprezo amargo. — Você sempre foi um covarde, seu vira-lata kothiano.

— Covarde? Eu? — O rosto enorme enegreceu de cólera. — Prepare-se, seu cretino do norte! Arrancarei seu coração!

Em um instante, os piratas formaram um círculo em torno do rival, os olhos brilhando, a respiração entredentes em sinal de um prazer sanguinário. No alto, em meio aos penhascos, Olivia assistia a tudo, cravando as unhas nas palmas das mãos em sua dolorosa agitação.

Sem formalidades, os combatentes se enfrentaram; Sergius entrou apressado, ágil como um felino gigante, apesar de todo o seu corpo. Xingamentos assobiavam entre seus dentes cerrados enquanto ele atacava e se defendia. Conan lutava em silêncio, seus olhos como fendas de fogo azul.

O kothiano parou de praguejar a fim de economizar fôlego. Os únicos sons eram o rápido arrastar de pés na relva, a respiração ofegante do pirata, o círculo e o aço se chocando. As espadas brilhavam como fogo branco no sol nascente, rodando e girando. Elas pareciam recuar com o contato de umas com as outras, apenas para serem brandidas logo em seguida novamente. Sergius retribuía os ataques; somente sua habilidade extrema o havia salvado até agora da velocidade ofuscante das investidas do cimério. Um choque mais alto de aço contra aço, as lâminas deslizando, um grito abafado — da horda de piratas, um berro feroz rompeu a manhã quando a espada de Conan atravessou o enorme corpo do capitão. A ponta da lâmina estremeceu por um instante ao afundar por entre os ombros de Sergius, à profundidade de uma mão, como cândido fogo à luz do sol. Em seguida, o cimério puxou a espada para trás, e o comandante pirata caiu pesadamente, de bruços, em uma poça de sangue crescente, com as mãos largas se contraindo por um momento.

Conan girou o corpo em direção aos corsários boquiabertos.

— Muito bem, seus cretinos! — rugiu ele. — Acabei de mandar o comandante de vocês para o inferno. O que diz a lei da Irmandade Vermelha?

Antes que alguém pudesse responder, um brituniano com cara de rato, parado atrás dos companheiros, usou um estilingue rápida e mortalmente. Reta como uma flecha, a pedra atingiu seu alvo, e Conan cambaleou antes de cair como uma árvore alta que despenca depois de ser vítima do machado de um lenhador. No penhasco, Olivia se agarrou às pedras para se apoiar. A cena flutuava vertiginosamente diante de seus olhos; tudo o que ela conseguia ver era o cimério caído e enfraquecido na relva, com sangue escorrendo da cabeça.

O cara de rato gritou triunfante e correu para esfaquear o homem prostrado, mas um coríntio esguio o empurrou para trás.

— O que, Aratus? Você violaria a lei da Irmandade, seu cretino?

— Nenhuma lei foi violada — rosnou o brituniano.

— Nenhuma lei? Ora, seu cão, este homem que você acabou de atingir é por direito nosso capitão!

— Não! — gritou Aratus. — Ele não faz parte do nosso bando, é um estranho. Não foi admitido na nossa sociedade. Matar Sergius não o torna capitão, como teria sido o caso se um de nós o tivesse matado.

— Mas ele queria se juntar a nós — replicou o coríntio. — Assim ele disse.

Diante daquilo, fez-se um enorme tumulto, alguns se aliando a Aratus, outros ao coríntio, a quem chamavam de Ivanos. Xingamentos foram ditos fervorosamente, desafios foram feitos, mãos se atrapalhavam nos punhos das espadas.

Por fim, um semita falou mais alto do que o tumulto:

— Por que vocês estão discutindo sobre um homem que está morto?

— Ele não está morto — respondeu o coríntio, abaixando-se do lado do cimério caído. — Foi um golpe de raspão, ele só está atordoado.

Com a revelação, o tumulto se fez novamente, Aratus tentando atingir o homem desacordado, e Ivanos finalmente o controlando, com a espada em punho e desafiando a todos. Olivia percebeu que não era tanto em defesa de Conan que o coríntio se colocava a postos, mas em oposição a Aratus. Claramente, aqueles homens haviam sido tenentes de Sergius e não havia consideração entre eles. Depois de mais discussões, ficou decidido amarrar Conan e levá-lo com eles, seu destino seria votado mais tarde.

O cimério, que começava a recobrar a consciência, foi amarrado com cintas de couro, e então quatro piratas o ergueram e, com muitas reclamações e xingamentos, carregaram-no com o bando, que retomou a jornada pelo planalto. O corpo de Sergius foi deixado onde estava; uma figura estatelada e desagradável na relva banhada pelo sol.

Entre as pedras, Olivia permanecia atordoada pelo desastre. Era incapaz de falar ou agir, e apenas podia ficar ali e assistir com olhos aterrorizados enquanto a horda brutal arrastava seu protetor para longe.

Ela não sabia por quanto tempo estava deitada ali. Do outro lado do planalto, a garota viu os piratas chegarem às ruínas e entrarem, arrastando o prisioneiro. Ela os viu entrando e saindo pelas portas e fendas, cutucando as pilhas de destroços e escalando as paredes. Após um certo tempo, uns vinte deles retornaram pelo planalto e desapareceram entre as árvores na margem oeste, arrastando o corpo de Sergius, provavelmente para ser lançado ao mar. Sobre as ruínas, os outros estavam cortando árvores garantindo lenha para uma fogueira. Olivia ouviu seus gritos, ininteligíveis a distância, e as vozes daqueles que tinham seguido para a floresta, ecoando entre as árvores. Em pouco tempo, eles reapareceram, carregando consigo tonéis de bebida e sacos com comida. Os piratas se dirigiram às ruínas, praguejando com vigor sob seus fardos.

Olivia estava apenas mecanicamente consciente de tudo aquilo. Seu cérebro extenuado estava prestes a entrar em colapso. Sozinha e desprotegida, ela percebeu o quanto a proteção do cimério significava. Houve então um vago espanto com as brincadeiras loucas do destino, que poderiam tornar a filha de um rei a companheira de um bárbaro assassino. Com isso, veio uma repulsa para com sua própria espécie. Seu pai e Shah Amurath eram homens civilizados. E, deles, ela só havia recebido sofrimento. Nunca tinha encontrado nenhum homem civilizado que a tratasse com gentileza, a menos que houvesse um motivo oculto por trás de suas ações. Conan a defendera, a protegera e, até o momento, não exigia nada em troca. Repousando a cabeça nos braços, ela chorou, até que gritos distantes de uma irreverente festança a despertaram para o seu próprio perigo.

Olivia olhou das ruínas escuras, onde as figuras fantásticas, pequenas ao longe ziguezagueavam e cambaleavam, para as profundezas sombrias da floresta verdejante. Mesmo que seus terrores da noite anterior nas ruínas não tivessem passado de sonhos, a ameaça que se escondia naquelas profundezas verdejantes não era invenção de um pesadelo. Se Conan morresse ou fosse levado como prisioneiro, suas únicas opções seriam se entregar aos lobos do mar ou ficar sozinha naquela ilha assombrada por demônios.

Quando todo o terror de sua situação tomou conta dela, Olivia desmaiou.

III

O sol já estava baixo quando Olivia recuperou os sentidos. Uma brisa soprou em seus ouvidos gritos distantes e fragmentos de canções libertinas. Levantando-se com cuidado, ela olhou para o planalto. Viu os piratas agrupados ao redor de uma enorme fogueira do lado de fora das ruínas, e seu coração bateu forte quando um grupo surgiu de dentro arrastando alguma coisa que ela sabia ser Conan. Eles o apoiaram contra a parede, ainda claramente amarrado com força, e então se deu uma longa discussão, com muitas armas sendo brandidas. Por fim, eles o arrastaram de volta para o salão e retomaram a bebedeira. Olivia suspirou; pelo menos sabia que o cimério ainda estava vivo. Uma nova determinação a fortaleceu. Assim que anoitecesse, ela correria para aquelas sombrias ruínas e libertaria o cimério ou seria levada ela mesma na tentativa. E também sabia que sua decisão não era motivada por um interesse egoísta.

Com a decisão em mente, a garota se aventurou a se esgueirar de seu esconderijo para colher e comer frutos que cresciam esparsamente por perto. Ela não comia desde o dia anterior. Havia estado tão ocupada que teve a sensação de ser observada.

Nervosa, Olivia examinou as rochas e, então, com uma suspeita assustadora, rastejou para a margem norte do penhasco e olhou para a aglomeração verde abaixo, já escura com o pôr do sol. Ela não viu nada; era impossível que pudesse ser vista, a não ser que estivesse na beira do penhasco, por qualquer coisa que estivesse espreitando naquelas florestas. Ainda assim, ela sentiu distintamente o brilho dos olhos escondidos e sentiu que *algo* vivo e senciente tinha conhecimento de sua presença e de seu refúgio.

Voltando para o seu ninho rochoso, Olivia ficou observando as ruínas a distância até que o crepúsculo da noite as mascarasse. Ela marcou sua posição com base nas chamas tremulantes, em volta das quais as figuras negras saltavam e pinoteavam embriagadas.

Então ela se levantou. Era hora de realizar a tentativa. Todavia, primeiro ela voltou furtivamente para a margem norte dos penhascos e olhou para baixo, para a floresta que margeava a praia. E, enquanto forçava a vista na luz fraca emanada pelas estrelas, seu corpo se retesou e foi como se uma mão gelada tocasse seu coração.

Bem lá embaixo, algo se movia. Era como se uma sombra negra se destacasse do abismo de sombras abaixo dela. A coisa se movia lentamente pela face íngreme do penhasco — uma massa indefinida, sem formato na semiescuridão. O pânico agarrou Olivia pela garganta, e ela lutou contra o grito que tentava sair pelos seus lábios. Virando-se, ela fugiu e desceu rumo à encosta sul.

A trajetória pelos penhascos escuros abaixo foi um pesadelo no qual ela escorregava e tropeçava, agarrando-se às rochas pontiagudas com dedos frios. Enquanto sua pele macia era rasgada e os membros delicados eram machucados pelas rochas ásperas sobre as quais Conan a carregou tão facilmente, ela mais uma vez se deu conta de sua dependência em relação àquele bárbaro com músculos de ferro. Mas aquele pensamento era apenas um em um turbilhão inquieto de medos vertiginosos.

A descida parecia interminável, mas por fim seus pés alcançaram o planalto gramado e, em um furor de ansiedade, Olivia disparou em direção à fogueira que ardia como o coração vermelho da noite. Atrás de si, enquanto fugia, ela ouviu uma chuva de pedras caindo pela encosta íngreme, e o som deu asas aos seus pés. Que coisa horrível deveria ser aquela que desalojou as pedras, ela não ousou tentar imaginar.

A ação física extenuante dissipou levemente o seu pavor cego e, antes que chegasse às ruínas, sua mente já estava clara, as faculdades de raciocínio alertas, mesmo que seus membros tremessem por conta do esforço.

Olivia se deitou na relva e ficou de bruços até que, por trás de uma pequena árvore que havia sobrevivido aos machados dos piratas, ela observou seus inimigos. Eles haviam terminado de jantar, mas ainda bebiam, mergulhando canecas de estanho ou taças ornadas de joias nos tonéis de vinho. Alguns já roncavam bêbados na grama, enquanto outros cambaleavam para as ruínas. Ela não viu Conan. Ficou ali deitada, enquanto o orvalho se formava no gramado ao seu redor e nas folhas acima, e os homens em torno da fogueira praguejavam, apostavam e discutiam. Havia apenas alguns poucos ali, já que a maioria tinha se recolhido para dormir nas ruínas.

Olivia permaneceu deitada, observando os homens, seus nervos rijos com a tensão da espera, a carne se arrepiando entre seus ombros com o pensamento do que poderia a estar vigiando também — do que poderia estar se escondendo atrás dela. O tempo se arrastava pesadamente. Um a um, os baderneiros caíram em um sono embriagado, até que todos ficaram deitados ali, inconscientes, ao lado da fogueira que se apagava.

Olivia hesitou; então foi reanimada por um brilho distante que subia entre as árvores. A lua estava surgindo no céu!

Com um arquejo, ela se levantou e correu em direção às ruínas. Sua carne se arrepiou toda enquanto ela caminhava na ponta dos pés entre as figuras bêbadas espalhadas ao lado do portal aberto. No interior havia muito mais; eles se mexiam e murmuravam em seus sonhos enfeitiçados, mas nenhum despertou enquanto a garota deslizava entre eles. Um soluço de alegria subiu aos lábios de Olivia quando viu Conan. O cimério estava totalmente acordado, amarrado a um pilar, os olhos brilhando no reflexo fraco da fogueira que se extinguia do lado de fora.

Escolhendo seu caminho por entre os dorminhocos, ela se aproximou de Conan. Por mais silenciosa que tenha sido, ele a ouviu; e a viu quando esta chegara pela primeira vez no portal. Um ligeiro sorriso se esboçou em seus lábios ásperos.

Olivia foi até ele e o abraçou por um instante. Conan sentiu a batida rápida do coração dela contra o seu peito. Através de uma ampla fenda na parede, surgiu um feixe da luz do luar, e o ar foi logo sobrecarregado com uma tensão sutil. O cimério sentiu e se retesou. Olivia também sentiu e arfou. Os adormecidos continuaram com seus roncos. Curvando-se rapidamente, ela puxou um punhal do cinto de seu dono inconsciente e começou a cortar as amarras de Conan. Eram cordas de vela, grossas e pesadas, amarradas com a habilidade de um marujo. Ela agia desesperadamente, enquanto a maré de luar se arrastava com lentidão pelo chão em direção aos pés das estátuas negras enfileiradas entre as colunas.

Sua respiração estava ofegante; os punhos de Conan estavam livres, mas os cotovelos e as pernas ainda se encontravam presos.

Ela olhou ligeiramente para as estátuas ao longo das paredes — esperando, esperando. Pareciam observá-la com a terrível paciência dos mortos-vivos. Os bêbados sob seus pés começaram a se remexer e a gemer durante o sono. O luar rastejou pelo salão, tocando os pés negros. As cordas caíram dos braços de Conan e, pegando o punhal das mãos de Olivia, ele arrancou as amarras das pernas com um único golpe ágil. Em seguida, afastou-se do pilar, flexionando os membros, suportando estoicamente a agonia da circulação que voltava a correr pelo seu corpo. Olivia se encolheu perto dele, tremendo como uma folha ao vento. Seria algum truque do luar que tocou os olhos das estátuas negras com fogo, a ponto de os fazerem brilhar como uma luz vermelha nas sombras?

Conan se moveu com a brusquidão de um felino selvagem. Pegando sua espada em uma pilha de armas próxima a ele, o cimério ergueu Olivia levemente e deslizou por uma abertura na parede coberta de hera.

Nenhuma palavra foi dita entre eles. Com ela em seus braços, ele partiu rapidamente pela relva banhada pela luz do luar. Com os braços ao redor de seu pescoço rígido, ela fechou os olhos, aninhando a cabeça escura e cacheada contra aquele ombro enorme. Uma sensação deliciosa de segurança a invadiu.

Apesar de carregar a garota, o cimério atravessou o planalto com rapidez, e Olivia, abrindo os olhos, viu que os dois passavam sob a sombra dos penhascos.

— Alguma coisa escalou os penhascos — sussurrou ela. — Eu ouvi quando se arrastou atrás de mim durante a minha descida.

— Teremos que nos arriscar — grunhiu ele.

— Não estou com medo... agora — suspirou Olivia.

— Você também não estava com medo quando foi me libertar — replicou Conan. — Por Crom, que dia! Nunca vi tanta discussão e briga. Estou quase surdo. Aratus queria arrancar meu coração, e Ivanos se recusou apenas para contrariar Aratus, a quem ele odeia. Durante o dia todo, os dois rosnaram e cuspiram um no outro, e, de qualquer forma, a tripulação logo ficou bêbada demais para votar...

Conan parou de repente, como uma estátua de bronze ao luar. Com um gesto ágil, ele colocou a garota de lado e para trás de si. Ajoelhando-se na relva macia, ela gritou com o que viu.

Das sombras dos penhascos, moveu-se uma massa monstruosa e cambaleante — um horror antropomórfico, uma grotesca caricatura da criação.

Em linhas gerais, não era diferente de um homem. Contudo, o rosto daquela coisa, delineado ao brilho do luar, era bestial, com orelhas pequenas, narinas dilatadas e uma boca enorme com lábios flácidos, da qual brilhavam presas brancas como marfim. A criatura era coberta de pelos desgrenhados e acinzentados, salpicados de prata devido ao luar, e suas patas gigantescas e deformadas pendiam quase até o chão. Seu tamanho era tremendo; enquanto se erguia sobre pernas curtas e arqueadas, a cabeça em formato de projétil se via mais alta que a do homem que a encarava; o movimento do peito peludo e dos ombros colossais era de tirar o fôlego, enquanto os braços enormes eram como árvores cheias de nós.

À luz do luar, a cena flutuava perante os olhos de Olivia. Aquele, então, era o fim da linha — que ser humano poderia resistir à fúria daquela montanha peluda de força e ferocidade? Entretanto, enquanto ela observava com os olhos arregalados de pavor a figura de bronze que encarava o monstro, sentiu uma familiaridade entre os dois antagonistas que era quase terrível. Aquela foi menos uma luta entre homem e animal do que um conflito entre duas criaturas selvagens, igualmente impiedosas e ferozes. Com um relance de presas brancas, o monstro atacou.

Os braços poderosos se abriram enquanto a criatura investia, incrivelmente rápida para seu corpo enorme e pernas atrofiadas.

A resposta de Conan foi um borrão veloz que os olhos de Olivia não foram capazes de acompanhar. Ela só viu que ele escapou daquela força mortal, e sua espada, reluzente como um relâmpago branco, cortou um daqueles braços enormes entre o ombro e o cotovelo. Um jorro intenso de sangue inundou a relva quando o membro decepado caiu, contraindo-se terrivelmente; no entanto, mesmo enquanto a espada o atingia, a outra mão deformada da criatura agarrou os cabelos negros de Conan.

Apenas os músculos rígidos do pescoço do cimério o salvaram de uma fratura naquele instante. Sua mão esquerda disparou para apertar a garganta atarracada da criatura, seu joelho pressionava com força a barriga peluda do monstro. Então iniciou-se uma luta espantosa, que durou apenas alguns segundos, mas que pareceu uma eternidade para a garota paralisada.

O símio manteve presos os cabelos de Conan, arrastando-o em direção às suas presas, que brilhavam ao luar. O cimério resistiu ao esforço, com o braço esquerdo rígido como ferro, enquanto a espada na mão direita, empunhada como um facão de açougueiro, afundava diversas vezes na virilha, no peito e na barriga de seu carrasco. A criatura aguentou os ferimentos com um silêncio terrível, aparentemente nada debilitada pelo sangue que jorrava de suas feridas terríveis. Com agilidade, a força do antropoide superou a do braço e dos joelhos que o pressionavam. Sem conseguir resistir, o braço de Conan dobrou sob a tensão; cada vez mais próximo, ele era puxado para as mandíbulas cobertas de saliva que se abriam desejando sua vida. Agora os olhos ardentes do bárbaro fitaram os olhos raivosos do macaco. Entretanto, enquanto Conan tentava em vão arrancar sua espada, cravada profundamenteno corpo peludo, as mandíbulas espumosas se fecharam devido ao espasmo, a menos de três centímetros de seu rosto, e ele foi lançado na relva pelas convulsões moribundas do monstro.

Quase desfalecida, Olivia viu o macaco arfar, debatendo-se e contorcendo-se, agarrando, como um homem, o cabo que se projetava para fora de seu corpo. A cena repugnante durou um instante e, então, a enorme criatura estremeceu e ficou imóvel.

Conan se levantou e foi mancando até o cadáver. O cimério ofegava com intensidade e caminhava como um homem cujas articulações e músculos haviam sido distendidos e retorcidos quase até o limite de sua resistência. Ele tocou o couro cabeludo ensanguentado e praguejou ao ver seus longos fios negros manchados de vermelho ainda emaranhados na mão peluda do monstro.

— Por Crom! — exclamou ele, ofegante. — Eu me sinto como se tivesse sido torturado! Preferiria ter lutado contra uma dúzia de homens. Um segundo a mais e ele teria arrancado a minha cabeça com uma mordida. Maldito, ele arrancou um punhado dos meus cabelos pelas raízes.

Pegando o cabo da espada com as duas mãos, ele a puxou e a soltou. Olivia se aproximou para pegar em seu braço e observar com olhos arregalados o monstro ali estatelado.

— O que... o que é isso? — perguntou ela, sussurrando.

— Um homem-macaco cinzento — respondeu ele, grunhindo. — Burro e comedor de gente. Eles vivem nas colinas que fazem fronteira com a costa leste deste mar. Como ele chegou a esta ilha, não sei dizer. Talvez tenha flutuado até aqui sobre troncos, afastados pelo vento do continente durante uma tempestade.

— E foi ele que atirou a pedra na noite que chegamos?

— Sim. Suspeitei do que era quando estávamos no matagal e vi os galhos se curvando sobre as nossas cabeças. Essas criaturas sempre se escondem nas florestas mais densas que conseguem encontrar e, raramente, aparecem. Também não sei dizer o que o atraiu para fora, mas fomos sortudos. Eu não teria chance alguma contra ele entre as árvores.

— Ele me seguiu — replicou ela, trêmula. — Eu o vi escalando os penhascos.

— E seguindo os instintos, ele se escondeu nas sombras em vez de segui-la pelo planalto. Essa é uma espécie de criatura das trevas e de lugares silenciosos, que odeiam o sol e a lua.

— Acha que há outras?

— Não, senão os piratas teriam sido atacados ao atravessarem a floresta. O macaco cinzento é cauteloso, apesar de toda a sua força, como demonstrou a hesitação deste aqui em despencar sobre nós no matagal. O desejo dele por você deve ter sido tão grande que o levou a nos atacar finalmente em campo aberto. O que...

Conan se assustou e se virou para o caminho por onde tinham vindo. O silêncio da noite havia sido quebrado por um grito terrível, vindo das ruínas.

No mesmo instante, seguiu-se uma confusão louca de berros, guinchos e gritos de uma agonia desesperadora. Embora acompanhados por um tilintar de aço, os sons estavam mais para um massacre do que para uma batalha.

Conan ficou paralisado, a garota agarrada a ele em um frenesi de medo. O tumulto chegou a um clímax de loucura e, então, o cimério se virou e correu em direção à margem do planalto, com sua orla de árvores iluminadas pelo luar. As pernas de Olivia tremiam tanto que ela não conseguia andar, então Conan a carregou, apaziguando as batidas frenéticas de seu coração enquanto ela se aninhava em seus braços.

Eles atravessaram a floresta sombria, mas os aglomerados de escuridão total não escondiam terrores, e as fendas de prata não revelavam nenhuma forma horrível. Os pássaros noturnos murmuravam sonolentos. Os gritos de massacre diminuíam atrás deles, mascarados ao longe em uma mistura confusa de sons. Em algum lugar, um papagaio cantou, como se fosse um eco sinistro: *Yagkoolan yok tha, xuthalla!* Em seguida, eles chegaram à beira d'água margeada por árvores e avistaram a galé ancorada, com sua vela branca brilhando à luz da lua. As estrelas já se viam pálidas para o amanhecer.

IV

Na palidez sinistra do amanhecer, algumas figuras esfarrapadas e manchadas de sangue cambalearam por entre as árvores e saíram rumo à praia estreita. Havia quarenta e quatro delas, e era um bando intimidado e desmoralizado. Com uma pressa ofegante, os homens mergulharam na água e começaram a nadar na direção da galé, quando um grito retumbante os fez parar.

Estampado contra o céu que clareava, eles viram Conan, o cimério, de pé na proa da embarcação, com a espada na mão e sua cabeleira negra balançando ao vento do amanhecer.

— Parem! — ordenou ele. — Não se aproximem mais. O que vocês querem, seus cretinos?

— Deixe-nos subir a bordo! — resmungou um bandido peludo com o dedo enfiado no toco de orelha ensanguentado. — Queremos partir desta ilha maldita.

— O primeiro homem que tentar subir a bordo terá o crânio partido — prometeu Conan.

Eles eram quarenta e quatro contra um, mas o cimério dava as ordens. A vontade de lutar havia deixado seus corpos.

— Deixe-nos subir a bordo, bondoso Conan — lamentou um zamoriano que usava uma faixa vermelha, olhando temeroso por cima do próprio ombro na direção da floresta silenciosa. — Fomos surrados, mordidos, arranhados e dilacerados e estamos muito cansados de lutar e correr. Nenhum de nós consegue erguer uma espada.

— Onde está aquele imbecil do Aratus? — inquiriu Conan.

— Morto, como os outros! Foram os demônios que vieram para cima de nós! Eles nos destroçaram antes que pudéssemos acordar... uma dúzia de bons corsários morreu durante o sono.

As ruínas estavam tomadas de sombras com olhos de fogo, com presas dilacerantes e garras afiadas.

— Sim! — exclamou outro corsário, concordando. — Eram os demônios da ilha, que assumiram a forma de estátuas fundidas para nos enganar. Por Ishtar! Nós nos deitamos para dormir entre eles. Não somos covardes. Lutamos contra eles pelo tempo que um mortal é capaz de lutar contra os poderes das trevas. Então nos separamos e os deixamos destroçar os cadáveres como chacais. Mas com certeza irão nos perseguir.

— Sim, deixe-nos subir a bordo! — implorou um semita esguio. — Deixe-nos ir em paz ou pegaremos nossas espadas e lutaremos e, embora estejamos exaustos e você certamente acabe com muitos de nós, você não pode triunfar contra o nosso número.

— Então abrirei um buraco nas tábuas e afundarei a embarcação — respondeu Conan com seriedade. Fez-se um coro frenético de protestos, o qual o cimério silenciou com um rugido que mais parecia o de um leão.

— Cretinos! Devo ajudar os meus inimigos? Devo permitir que vocês subam a bordo e arranquem meu coração?

— Não, não! — responderam eles, em negação. — Amigos... somos amigos, Conan. Seus camaradas! Somos todos bandidos vigorosos juntos. Odiamos o rei de Turan, não uns aos outros.

O olhar deles repousou em seu rosto moreno e carrancudo.

— Então, se eu faço parte da Irmandade — grunhiu o cimério —, as leis do Comércio se aplicam a mim. E já que matei o comandante de vocês em uma luta justa, agora sou o seu capitão!

Não houve nenhum protesto. Os piratas estavam amedrontados e abatidos demais para pensar em qualquer coisa que não fosse o desejo de fugir daquela ilha medonha. O olhar de Conan procurou a figura ensanguentada do coríntio.

— Ora, Ivanos! — provocou ele. — Você já ficou do meu lado antes. Vai defender minhas reivindicações novamente?

— Sim, por Mitra! — O pirata, percebendo a deixa, ficou

ansioso para cair nas boas graças do cimério. — Ele está certo, rapazes! É o nosso capitão por direito!

Uma confusão de vozes em concordância aumentou, talvez sem muito entusiasmo, mas com sinceridade, acentuada pela sensação sinistra da floresta silenciosa atrás deles, que poderia esconder demônios rastejantes de ébano com olhos vermelhos e garras gotejantes.

— Jurem pelo punho de suas espadas — ordenou Conan.

Quarenta e quatro espadas foram erguidas em sua direção, e o mesmo número de vozes entoou o juramento de lealdade ao corsário.

Conan sorriu e embainhou sua espada.

— Subam todos a bordo, meus corajosos espadachins, e tomem os remos.

Ele se virou e colocou Olivia de pé, erguendo-a de onde ela estava agachada, protegida pela amurada.

— E o que será de mim, senhor? — perguntou ela.

— Qual é o seu desejo? — replicou ele, observando-a de perto.

— Seguir com você, para onde quer que o seu caminho leve! — gritou ela, jogando os braços brancos ao redor do pescoço bronzeado de Conan.

Os piratas, passando por cima da amurada, arquejaram de espanto.

— Para navegar em uma rota de sangue e massacre? — questionou ele. — Esta quilha manchará as ondas azuis de vermelho por onde quer que passe.

— Sim, para navegar com você em mares azuis ou vermelhos — respondeu Olivia apaixonadamente. — Você é um bárbaro, e eu sou uma banida, renegada pelo meu próprio povo. Ambos somos párias, vagantes pelo mundo. Ó, me leve com você!

Com uma risada tonitruante, ele a puxou até seus lábios ferozes.

— Eu farei de você a Rainha do Mar Azul! Soltem as âncoras, seus cretinos! Ainda botaremos fogo nas pantalonas do Rei Yildiz, por Crom!

"**R**ainha da Costa Negra" é uma das mais bem elaboradas narrativas de Conan, embora tenha sido escrita em 1932, logo após "A cidadela escarlate", foi publicada apenas dois anos depois, em maio de 1934.

O conto possui uma das personagens femininas mais fortes e substanciais do universo de Conan, a rainha pirata Belît, de origem semita, sua natureza guerreira e sanguinária é muito temida. A história também é única por não ser baseada somente em sentimentos e emoções como o ódio, a luxúria ou a ganância, mas em nostalgia, reminiscência e numa leve melancolia, geralmente ausentes dos enredos de Conan.

RAINHA DA COSTA NEGRA

I

Conan junta-se aos piratas

CREIA QUE OS BOTÕES VERDES BROTAM
NA PRIMAVERA,
E QUE O OUTONO PINTA AS FOLHAS COM
UM FOGO MELANCÓLICO;
CREIA QUE MANTIVE MEU CORAÇÃO INVIOLADO
PARA ENCHER UM HOMEM COM MEU DESEJO ARDENTE.

A Canção de Belît

Cascos soavam na rua que levava ao cais. O povo que gritava e se espalhava pelas calçadas teve apenas um vislumbre de uma figura com armadura montada em um garanhão preto, com um grande manto escarlate esvoaçando ao vento. Mais adiante na rua, ouviram-se gritos e estrondos de perseguição, mas o cavaleiro não olhou para trás. Ele saltou na direção do cais e fez o garanhão parar na beira do píer. Os marinheiros pararam boquiabertos olhando para ele, enquanto empertigavam-se ao lado dos remos e das listradas velas de uma galé de proa elevada e casco largo. O timoneiro, robusto e de barba negra, estava na proa, afastando o barco do cais com um gancho. Ele gritou com raiva quando o cavaleiro saltou da sela e, com um salto comprido, pousou bem no meio do convés.

— Quem o convidou para subir a bordo?

— Vamos em frente! — rugiu o intruso com um gesto feroz que respingou gotas vermelhas de sua espada.

— Mas estamos a caminho da costa de Kush! — respondeu o timoneiro.

— Então é para a costa de Kush que eu vou! Vamos logo, estou lhe dizendo!

O outro lançou um rápido olhar para a rua, ao longo da qual galopava um esquadrão de cavaleiros; bem atrás deles seguia um grupo de arqueiros, carregando as bestas em seus ombros.

— Você tem dinheiro pagar pela sua passagem? — perguntou o mestre.

— Eu pago minha viagem com aço! — rugiu o homem de armadura, brandindo a grande espada que brilhava azulada à luz do sol. — Por Crom, homem, se você não partir imediatamente, vou encharcar este barco com o sangue de sua tripulação!

O comandante do barco sabia julgar os homens. Bastou olhar para o rosto com cicatrizes escuras do guerreiro, embrutecido pelo sofrimento, para gritar uma ordem rápida, afastando-se rapidamente do cais. A galé mergulhou em águas claras, os remos começaram a estalar ritmicamente; então uma lufada de vento inflou a vela aberta, o barco leve foi arremetido adiante pela rajada e tomou seu curso como um cisne, deslizando pela água enquanto avançava.

No cais, os cavaleiros sacudiam as espadas e gritavam ameaças e ordens para que o barco retornasse, gritando para que os arqueiros se apressassem antes que a embarcação estivesse fora do alcance de suas bestas.

— Deixe-os se enfurecer — sorriu o espadachim. — Mantenha a embarcação no curso, mestre timoneiro.

O mestre desceu do pequeno convés entre a proa, abriu caminho entre as fileiras de remadores e subiu no convés intermediário. O desconhecido ficou ali parado, de costas para o mastro, com os olhos semicerrados em alerta e a espada em punho. O marinheiro olhou para ele com firmeza, tomando cuidado para não fazer nenhum movimento em direção à longa faca em seu cinto. Via uma figura alta e poderosa com uma cota de malha preta, grevas lustradas e um capacete de aço azul do qual se projetavam chifres de touro muito bem polidos. Sobre os ombros com cotas de malha caía a capa escarlate, soprada pelo vento do mar. Um cinturão com fivela dourada segurava a bainha da espada que ele carregava. Sob o capacete com chifres, uma juba negra de corte reto contrastava com olhos azuis ardentes.

— Se vamos viajar juntos — disse o mestre —, é melhor estarmos em paz uns com os outros. Meu nome é Tito, timoneiro licenciado dos portos de Argos. Estou a caminho de Kush, para trocar com os reis negros joias, seda, açúcar e espadas com cabo de bronze por marfim, óleo de coco, minério de cobre, escravos e pérolas.

O espadachim olhou para trás, para as docas que ficavam rapidamente para trás, onde as figuras ainda gesticulavam desamparadas, evidentemente tendo dificuldade para encontrar um barco rápido o suficiente alcançar a galé.

— Sou Conan, um cimério — respondeu ele. — Vim para Argos em busca de emprego, mas sem guerras em vista, não havia nada que eu pudesse fazer.

— Por que os guardas estão atrás você? — perguntou Tito. — Não que seja da minha conta, mas pensei que talvez...

— Não tenho nada a esconder — respondeu o cimério. — Por Crom, embora eu passe um tempo considerável entre vocês, povos civilizados, seus costumes ainda estão além da minha compreensão.

"Bom, na noite passada, em uma taverna, um capitão da guarda do rei violentou a namorada de um jovem soldado, que naturalmente acabou com ele. Mas parece que existe uma maldita lei contra matar guardas, e o garoto e sua garota fugiram. Foi dito que fui visto com eles e hoje fui levado ao tribunal e um juiz me perguntou para onde o rapaz tinha ido. Respondi que, como ele era meu amigo, não poderia traí-lo. Então a corte ficou furiosa e o juiz começou a falar sobre meu dever para com o Estado, a sociedade e outras coisas que eu não entendi, e me pediu para dizer para onde meu amigo tinha fugido. A essa altura, eu também estava ficando irado, pois já havia explicado minha posição.

"Mas sufoquei minha ira e me calei, e o juiz gritou dizendo que eu estava mostrando desprezo pelo tribunal e que deveria ser jogado em uma masmorra para apodrecer até que eu revelasse o destino de meu amigo. Então, vendo que estavam todos loucos, listrados que combinavam com a vela cintilante e os apetrechos de metal dourado que ficavam na proa e ao longo da tricaniz.

Avistaram a costa de Sem – longos prados ondulantes com as coroas brancas das torres das cidades à distância, e cavaleiros com barbas preto-azuladas e narizes aduncos, sentados em seus corcéis ao longo da costa, que olhavam a galé com desconfiança. A embarcação não atracou por lá; havia pouco lucro no comércio com os filhos de Sem.

Mestre Tito também não atracou na ampla baía onde o rio Estige desaguava no oceano, e os maciços castelos negros de Khemi assomavam-se sobre as águas azuis. Os navios não entravam neste porto sem serem convidados, lugar onde feiticeiros sombrios lançavam feitiços terríveis na escuridão da fumaça sacrificial que sempre emanava de altares manchados de sangue, onde mulheres nuas gritavam, e onde Set, a Velha Serpente, arquidemônio dos hiborianos, mas deus dos estígios contorcia suas espirais brilhantes entre seus adoradores.

Mestre Tito também manteve-se bem longe daquela onírica vítrea baía, mesmo quando uma gôndola com proa de serpente disparou de trás de um ponto fortificado de terra, com bronzeadas mulheres nuas com grandes flores vermelhas em seus cabelos levantavam-se e chamavam os marinheiros da tripulação dele, fazendo poses provocantes.

Agora não se via mais torres brilhantes no continente. Eles haviam passado pela fronteira sul da Estígia e navegavam ao longo da costa de Kush. O mar e seus costumes eram mistérios sem fim para Conan, cuja terra natal ficava entre as altas colinas das terras altas do Norte. O viajante também era objeto de curiosidade para os robustos marinheiros, pois poucos deles tinham visto alguém de sua raça.

Eram marinheiros argosianos típicos, baixos e corpulentos. Conan era bem mais alto do que eles, e nenhum poderia igualar sua força. Eles eram resistentes e robustos, mas ele tinha a resistência e a vitalidade de um lobo, suas forças enrijecidas e seus músculos aguçados pela dureza de sua vida nas terras devastadas do mundo. Ele ria com facilidade, mas sua ira também era rápida e terrível. Seu apetite era voraz, e bebidas fortes eram uma paixão e uma fraqueza para ele. Em muitos aspectos era ingênuo como uma criança, desconhecia a sofisticação da civilização, era naturalmente inteligente, possessivo com seus direitos e perigoso como um tigre faminto. Embora jovem, foi endurecido na guerra e peregrinação, e suas viagens a muitas terras eram evidentes em seu vestuário. Seu capacete com chifres era o usado pelo aesir de cabelos dourados de Nordheim; sua cota de malha e grevas eram dos melhores artesãos de Koth; a bela cota de malha que envolvia seus braços e pernas era da Nemédia; a lâmina em seu cinto era uma grande espada longa aquiloniana; e seu lindo manto escarlate não poderia ter sido fiado em nenhum outro lugar além de Ophir.

Seguiram então para o sul, e mestre Tito começou a procurar pelas aldeias de muros altos dos povos negros. Mas encontraram apenas ruínas fumegantes na costa de uma baía, repletas de corpos negros nus. Tito praguejou.

— Já fiz bons negócios aqui no passado. Isso é obra de piratas.

— E se os encontrarmos?

Conan afrouxou sua grande lâmina na bainha.

— Este não é um navio de guerra. Fugiremos em vez de lutar. No entanto, se chegarmos a esse ponto, já derrotamos os saqueadores antes e podemos fazê-lo novamente; a não ser que seja a Tigresa de Belît.

— Quem é Belît?

— O súcubo mais selvagem que existe. A menos que eu tenha interpretado os sinais de maneira errada, foram seus açougueiros que destruíram aquela aldeia na baía. Espero vê-la enforcada em um mastro um dia! Ela é chamada de Rainha da Costa Negra. É uma mulher semita, que lidera os invasores negros. Eles atormentam o transporte marítimo e já mandaram muitos bons comerciantes para o fundo do mar.

Sob o convés, Tito pegou gibões acolchoados, gorros de aço, arcos e flechas.

— Não adianta resistir se formos perseguidos — resmungou ele. — Mas desistir da vida sem lutar é frustrante.

O sol estava nascendo quando o vigia soltou um grito de alerta. Em torno da extremidade de uma ilha a estibordo, uma forma longa e letal deslizava pela água, uma galé delgada e serpentina, com um convés elevado que ia da popa à proa. Quarenta remos de cada lado empurravam a embarcação rapidamente pela água, e a amurada baixa fervilhava de negros nus que cantavam e batiam as lanças em escudos ovais. No topo do mastro flutuava uma longa flâmula vermelha.

— Belît! — gritou Tito, empalidecendo. — Atenção! Vamos por aqui! Para aquela enseada! Se conseguirmos atracar antes que eles nos alcancem, teremos uma chance de escapar com vida!

Assim, virando bruscamente, o Argus fugiu para a linha de rebentação que ressoava ao longo da costa margeada por palmeiras. Tito andava de um lado para o outro, berrando para que os remadores ofegantes se esforçassem ainda mais. A barba negra do mestre estava eriçada e seus olhos brilhavam.

— Me dê um arco — pediu Conan. — Não é a arma que prefiro, mas aprendi arco e flecha com os hirkanianos, e certamente conseguirei atingir alguns homens no convés.

De pé na popa, ele observou o navio em forma de serpente deslizando levemente sobre as águas, e embora fosse um homem da terra, era evidente para ele que o Argus nunca venceria aquela corrida. Já as flechas, arqueadas no convés do pirata, caíam com um chiado no mar, a menos de vinte passos da popa.

— É melhor enfrentarmos isso — rosnou o cimério —, do contrário todos morreremos com flechas nas costas sem desferirmos nenhum golpe.

— Mantenham o ritmo, guerreiros! — rugiu Tito com um gesto apaixonado de seu punho musculoso.

Os remadores barbados grunhiram, puxaram os remos, enquanto seus músculos se flexionavam e se tencionavam, e o suor escorria em suas peles. As vigas da pequena e robusta galé rangeram e estalaram quando os homens a forçaram na água. O vento diminuíra; a vela pendia solta. Os perseguidores inexoráveis se aproximavam, e faltava ainda um quilômetro e meio para a rebentação quando um dos homens do leme caiu engasgando em cima de um remo, com o pescoço atravessado por uma longa flecha. Tito correu para assumir o seu lugar e Conan, firmando as pernas bem abertas no deque, ergueu o arco. Podia ver com clareza os detalhes dos piratas agora. Os remadores eram protegidos por uma linha de manteletes nas laterais, mas os guerreiros que dançavam no estreito convés estavam desprotegidos. Tinham a pele pintada e usavam plumas, a maioria estava nua e portava lanças e escudos manchados.

Na plataforma elevada, na proa, havia uma figura esguia cuja pele branca brilhava em um contraste deslumbrante com as peles de ébano lustrosas ao redor. Belît, sem dúvida. Conan puxou a flecha até a orelha – então algum capricho ou escrúpulo deteve sua mão e disparou a flecha direto contra corpo de um lanceiro alto emplumado ao lado dela.

Metro a metro, a galé pirata se aproximava da embarcação mais leve. Flechas choviam sobre o Argus e os homens gritavam. Todos que remavam estavam caídos, crivados de flechas, e Tito manejava o barco sozinho, praguejando, as pernas apoiadas por tensos músculos. Então, com um soluço, ele caiu, com uma longa flecha atingindo seu coração robusto. O Argus perdeu o rumo e rolou na ondulação. Os homens gritaram confusos e Conan assumiu o comando na sua maneira característica.

— Para cima, rapazes! — rugiu ele, balançando-se em uma corda. — Peguem seu aço e deem algumas pancadas nesses cães antes que eles cortem suas gargantas! É inútil curvar a cabeça. Eles vão nos abordar antes que possamos remar mais cinquenta metros!

Desesperados, os marinheiros abandonaram seus remos e pegaram suas armas. Foram valentes, mas o ato foi inútil. Eles tiveram tempo para uma saraivada de flechas antes do ataque dos piratas. Sem ninguém no leme, o Argus rolou de lado, e a proa revestida de aço dos saqueadores colidiu contra o centro do casco. Ganchos de ferro se prenderam às laterais da embarcação. Da alta amurada, os piratas lançaram um voleio de flechas que atravessou os coletes almofadados dos marinheiros condenados e, a seguir, saltaram com as lanças em mãos para completar a carnificina. No convés do navio pirata, havia meia dúzia de piratas caídos graças à artilharia de Conan.

A luta no Argus foi rápida e sangrenta. Os marinheiros atarracados, que não eram páreo para os bárbaros altos, foram reduzidos a um homem. Em outra parte, porém, a batalha havia tomado um rumo peculiar. Conan, na popa superior, estava no mesmo nível do convés do pirata. Quando a proa de aço atingiu o Argus, ele se preparou e manteve o equilíbrio no momento do choque, jogando o arco para longe. Um corsário alto, saltando sobre a amurada, foi recebido no ar pela grande espada do cimério, que o cortou ao meio na linha da cintura, de modo que seu corpo caiu para um lado e suas pernas para outro. Então, com uma explosão de fúria que deixou uma pilha de cadáveres mutilados ao longo da amurada, Conan subiu na borda do navio e chegou ao convés da Tigresa.

Em um instante, ele se tornara o centro de um furacão de lanças afiadas e bastões. Mas ele se moveu em um borrão ofuscante de aço. As lanças se curvavam sobre sua armadura ou assobiavam no ar vazio, e sua espada cantava a canção da morte. A loucura guerreira de sua raça tomara conta dele, e com uma fúria rubra irracional oscilando diante de seus olhos ardentes, ele partiu crânios, esmagou troncos, decepou membros, rasgou entranhas e se espalhou pelo convés transformando-o em um pavoroso depósito de cérebros e sangue.

Invulnerável em sua armadura, de costas contra o mastro, ele amontoou cadáveres mutilados a seus pés até que seus inimigos retrocedessem ofegando de raiva e medo. Então, quando eles ergueram suas lanças para atacar, e ele tencionou seu corpo para pular e morrer no meio deles, um grito agudo congelou os braços erguidos. Eles pareciam estátuas, os gigantes negros preparados para os lançamentos de lança e o espadachim com cota de malha com sua lâmina gotejante.

Belît saltou diante dos negros, derrubando suas lanças. Ela se virou para Conan, seu peito arfando, seus olhos brilhando. Dedos ferozes de admiração se apoderaram do coração do homem. Ela era esguia, mas parecia uma deusa: ao mesmo tempo ágil e voluptuosa. Sua única vestimenta era um largo cinto de seda. Seus membros brancos de marfim e as curvas de seus seios provocaram uma batida de paixão feroz na pulsação do cimério, mesmo durante a fúria ofegante da batalha. Seus ricos cabelos negros, negros como uma noite estígia, caíam em mechas brilhantes e ondulosas por suas costas graciosas. Seus olhos escuros ardiam no cimério.

Ela era indomável como o vento do deserto, flexível e perigosa como uma pantera. Ela se aproximou dele, sem se importar com sua grande lâmina, que pingava o sangue de seus guerreiros. Sua coxa delgada roçou contra ele quando ela chegou bem perto do alto guerreiro. Seus lábios vermelhos se separaram enquanto ela olhava em seus olhos sombrios e ameaçadores.

— Quem é você? — perguntou ela. — Por Ishtar, nunca vi ninguém igual, embora tenha navegado por todo o mar desde as costas de Zingara até as fogueiras do extremo sul. De onde vem você?

— De Argos — respondeu ele rapidamente, atento para qualquer traição.

Se sua mão esguia se movesse em direção à adaga cravejada de joias em seu cinto, um golpe de sua mão a derrubaria inconsciente no convés. No entanto, em seu coração ele não temia; já tivera muitas mulheres, civilizadas ou bárbaras, em seus braços de aço para não reconhecer a luz que queimava nos olhos desta.

— Você não é um hiboriano pusilânime! — exclamou ela.
— Você é feroz e bruto como um lobo cinzento. Esses olhos nunca foram ofuscados pelas luzes da cidade; esses músculos nunca foram amaciados pela vida em meio às paredes de mármore.
— Eu sou Conan, um cimério — respondeu ele.

Para o povo de climas exóticos, o norte era um reino labiríntico, meio mítico, povoado por gigantes ferozes de olhos azuis que ocasionalmente desciam de suas fortalezas geladas com tochas e espadas. Seus ataques nunca os levaram tão ao sul a ponto de chegar a Sem, e essa filha de Sem não fazia distinção entre aesires, vanires ou cimérios. Com o instinto feminino infalível, ela sabia que tinha encontrado seu amante, e que sua raça não significava nada, exceto pelo fato de recobri-lo com o charme de terras distantes.

— E eu sou Belît — exclamou ela, como quem diz "sou rainha".
— Olhe para mim, Conan!

Ela abriu os braços.

— Eu sou Belît, a Rainha da Costa Negra. Ó, tigre do Norte, você é frio como as montanhas nevadas que o criaram. Abrace-me e me esmague com seu amor feroz! Vá comigo até os confins da terra e os confins do mar! Eu sou uma rainha de fogo, aço e massacre — seja meu rei!

Seus olhos percorreram as fileiras de piratas manchados de sangue, procurando expressões de cólera ou ciúme. Não viu nenhuma. A fúria desaparecera daqueles rostos. Ele percebeu que para esses homens Belît era mais do que uma mulher: era uma deusa cuja vontade era inquestionável. Ele olhou para Argus, chafurdando na água do mar manchado de vermelho, inclinando-se, com seu convés inundado, sustentado pelos ganchos de ferro. Ele olhou para praia margeada pelo azul, para o nevoeiro esverdeado do oceano, para a figura vibrante que estava diante dele; e sua alma bárbara agitou-se dentro dele. Aventurar-se por esses reinos azuis brilhantes com aquela jovem tigresa de pele branca — amar, rir, viajar e saquear.

— Vou navegar com você — grunhiu ele, sacudindo as gotas vermelhas de sua lâmina.

— Ho, N'Yaga! — sua voz vibrou como a corda de um arco.
— Tragam ervas e tratem as feridas de seu mestre! O resto de vocês tragam as mercadorias e vamos partir.

Enquanto Conan se sentava encostado na amurada da popa para que o velho xamã cuidasse dos cortes em suas mãos e membros, a carga do infeliz Argus foi rapidamente transferida a bordo da Tigresa e armazenada em pequenas cabines abaixo do convés. Corpos da tripulação e de piratas caídos foram lançados ao mar para os tubarões que se enxameavam por ali, enquanto curativos eram feitos nos negros feridos. Em seguida, os ganchos de ferro foram removidos e, enquanto o Argus afundava silenciosamente nas águas salpicadas de sangue, a Tigresa moveu-se para o sul ao som rítmico dos remos.

À medida que avançavam sobre o profundo azul vítreo, Belît veio até a popa. Seus olhos ardiam como os de uma pantera no escuro enquanto ela arrancava seus enfeites, suas sandálias e seu cinto de seda e os jogava aos pés dele. Erguendo-se na ponta dos pés, com os braços estendidos para cima, uma forma nua, branca e trêmula, ela gritou para a horda desesperada:

— Lobos do mar azul, contemplem agora a dança; a dança do acasalamento de Belît, cujos pais eram reis de Askalon!

E ela dançou, como o turbilhão de um tornado no deserto, como o tremular de uma chama perpétua, como o desejo da criação e o impulso da morte. Seus pés brancos rejeitaram o convés manchado de sangue e os homens moribundos esqueceram a morte enquanto a olhavam paralisados. Então, quando as estrelas brancas brilharam em meio ao crepúsculo de veludo azul, fazendo de seu corpo giratório um borrão de fogo marfim, com um grito selvagem ela se jogou aos pés de Conan, e a inundação cega do desejo do cimério varreu tudo o mais enquanto ele esmagava sua forma ofegante contra as placas pretas de seu peito blindado.

II

A Lótus Negra

> Naquela cidadela morta de pedras em ruínas
> Seus olhos foram capturados por aquele brilho profano,
> E uma loucura curiosa me pegou pela garganta,
> Como a de um amante rival metido entre eles.
>
> *A Canção de Belît*

A Tigresa percorria o mar e as aldeias negras estremeciam. Tambores rufavam no meio da noite, contando que a mulher demônio do mar encontrara um companheiro, um homem de ferro cuja fúria era como a de um leão ferido. E sobreviventes de navios estígios massacrados amaldiçoavam o nome de Belît e de um guerreiro branco com ferozes olhos azuis; de maneira que os príncipes estígios se lembraram desse homem por muito tempo, e sua lembrança era uma árvore amarga que deu frutos vermelhos nos anos que se seguiram.

Mas desatenta como um vento errante, a Tigresa cruzou a costa sul, até que ancorou na foz de um rio largo e sombrio, cujas margens pareciam paredes de uma selva misteriosa e densa.

— Este é o rio Zarkheba, que é a Morte — disse Belît. — Suas águas são venenosas. Vê como elas correm escuras e turvas? Apenas répteis venenosos vivem neste rio. Os negros o evitam. Certa vez, uma galé estígia, fugindo de mim, subiu rio acima e desapareceu. Eu ancorei neste mesmo local e, dias depois, a galé voltou flutuando nas águas escuras, com seus conveses manchados de sangue e sem ninguém. Apenas um homem estava a bordo, e ele ficou louco e morreu tagarelando. A carga estava intacta, mas a tripulação desapareceu no silêncio e no mistério.

"Meu amor, acredito que haja uma cidade em algum lugar neste rio. Já ouvi histórias de torres e paredes gigantes vistas de longe por marinheiros que ousaram subir parte do rio. Nós não tememos nada; Conan, vamos saquear essa cidade!"

Conan concordou. Ele geralmente concordava com seus planos. Ela era a mente que dirigia os ataques, ele era o braço que executava as ideias dela. Pouco importava para ele onde navegassem ou com quem lutassem, desde que navegassem e lutassem. Ele gostava daquela vida.

A batalha e as investidas haviam reduzido sua tripulação; restavam apenas cerca de oitenta lanceiros, o que mal bastava para trabalhar na longa galé. Mas Belît não queria perder tempo indo em um longo cruzeiro até o Sul, para os reinos insulares onde recrutara seus bucaneiros. Ardia de ansiedade pela nova aventura; então a Tigresa rumou para a foz do rio, com os remadores puxando com força enquanto ela enfrentava a forte correnteza.

Dobraram a curva misteriosa que bloqueava a visão do mar, e o pôr do sol os encontrou navegando em ritmo constante contra a lenta corrente, evitando bancos de areia onde estranhos répteis se enrolavam. Nem mesmo um crocodilo eles viram, nem qualquer animal de quatro patas ou pássaro alado descendo até a beira do rio para beber água. Seguiram pela escuridão que precedia o nascer da lua, entre margens que eram sólidas paliçadas de escuridão, de onde vinham sussurros misteriosos e passos furtivos, e onde viam o brilho de olhos sombrios. E em uma ocasião, quando uma voz desumana foi ouvida em tom zombeteiro; Belît disse que era o grito de um macaco, acrescentando que as almas dos homens maus foram aprisionadas nesses animais semelhantes ao homem como punição por crimes passados. Mas Conan duvidou, pois uma vez, em uma gaiola com barras de ouro em uma cidade hirkaniana, ele tinha visto uma besta abismal de olhos tristes que os homens lhe disseram que era um macaco, e não havia nada nele da malevolência demoníaca que vibrava nas gargalhadas estridentes que ecoavam na selva negra.

Então a lua nasceu, um respingo de sangue, barrado pela noite, e a selva acordou em um tumulto horrível para recebê-los. Rugidos, uivos e gritos faziam os guerreiros negros tremerem, mas todo esse barulho, Conan notou, vinha de mais longe na selva, como se os animais não menos do que os homens evitassem as águas negras de Zarkheba.

Elevando-se acima da densidade negra das árvores e acima das frondes ondulantes, a lua prateava o rio, e seu rastro se tornava uma cintilação ondulante de bolhas fosforescentes que se alargavam como uma estrada abrigada de joias explodindo. Os remos mergulharam na água brilhante e subiram envoltos em prata gelada. As plumas no capacete do guerreiro balançavam ao vento, e as pedras preciosas nos punhos das espadas e arreios cintilavam gélidas.

A luz fria atingiu o fogo gelado das joias nos cachos negros de Belît quando ela esticou sua figura esguia em uma pele de leopardo jogada no convés. Apoiada nos cotovelos, o queixo apoiado nas mãos magras, ela olhou para o rosto de Conan, que se espreguiçava ao lado dela, sua mão negra se mexendo na brisa fraca. Os olhos de Belît eram joias escuras queimando ao luar.

— O mistério e o terror nos cercam, Conan, e estamos navegando para o reino do horror e da morte — disse ela. — Você está com medo?

Um encolher de ombros com cota de malha foi sua única resposta.

— Eu também não estou com medo — disse ela pensativamente. — Nunca tive medo. Eu tenho olhado para as presas nuas da Morte com muita frequência. Conan, você tem medo dos deuses?

— Eu não pisaria em suas sombras — respondeu o bárbaro com cautela. —Alguns deuses são ávidos para fazer mal, outros, para ajudar; pelo menos é o que dizem seus sacerdotes. Mitra, deus dos hiborianos, deve ser um deus forte, porque seu povo construiu suas cidades em todo o mundo. Mas mesmo os hiborianos temem Set. E Bel, deus dos ladrões, é um bom deus. Quando eu era um ladrão em Zamora, eu o conheci.

— E quanto aos seus deuses? Nunca ouvi você chamá-los.

— O chefe deles é Crom. Ele mora em uma grande montanha. Para que vou chamá-lo? Ele pouco se importa se os homens estão vivos ou mortos. Melhor ficar calado do que chamar a atenção dele para você; ele enviará condenações, não ajuda! Ele é severo e desprovido de amor, mas quando nascemos ele sopra poder de lutar e matar na alma de um homem. O que mais os homens deveriam pedir aos deuses?

— Mas e os mundos além do rio da morte? — persistiu ela.

— Não há esperança aqui ou no futuro segundo as crenças do meu povo — respondeu Conan. — Neste mundo, os homens lutam e sofrem em vão, encontrando prazer apenas na brilhante loucura da batalha; morrendo, suas almas entram em um reino nebuloso e cinzento de nuvens e ventos gelados, para vagar tristemente por toda a eternidade.

Belît estremeceu.

— A vida, por pior que seja, é melhor do que esse destino. No que você acredita, Conan?

Ele encolheu os ombros.

— Conheci muitos deuses. Aquele que os nega é tão cego quanto aquele que confia neles profundamente. Não busco nada depois da morte. Pode ser a escuridão declarada pelos céticos de Nemédia, ou o reino de gelo e nuvem de Crom, ou as planícies nevadas e salões abobadados do Valhalla de Nordheimer. Eu não sei nem me importo. Deixe-me viver profundamente enquanto vivo; deixe-me saborear os ricos sucos de carne vermelha e vinho picante em meu paladar, o abraço quente de braços brancos, a exultação louca da batalha quando as lâminas azuis flamejam e ficam vermelhas, e eu estou satisfeito. Deixe que professores, sacerdotes e filósofos meditem sobre questões como realidade e ilusão. Eu só sei que, se a vida é uma ilusão, então eu também sou e, sendo assim, a ilusão é real para mim. Estou vivo, cheio de vida, eu amo, eu mato e sou feliz assim.

— Mas os deuses são reais — disse ela, seguindo sua própria linha de pensamento. — E acima de todos estão os deuses dos semitas – Ishtar, Ashtoreth, Derketo e Adonis. Bel também é semita, pois nasceu na antiga Shumir, há muito, muito tempo, e saiu rindo, com barba encaracolada e sábios olhos travessos, para roubar as joias dos reis dos tempos antigos.

"Existe vida depois da morte, eu sei disso, e sei também, Conan de Ciméria — ela se ajoelhou agilmente e o envolveu em um abraço de pantera — que meu amor é mais forte do que qualquer morte! Eu deitei-me em seus braços, ofegando com a violência de nosso amor; você me segurou, me abraçou e me conquistou, puxando minha alma para seus lábios com a ferocidade de seus beijos contundentes. Meu coração está unido ao seu coração, minha alma faz parte da sua alma! Se eu estivesse morta e você lutando pela vida, voltaria do abismo para ajudá-lo – sim, quer meu espírito flutuasse com as velas roxas no mar de cristal do paraíso, ou se contorcesse nas chamas derretidas do inferno! Eu sou sua, e todos os deuses e todas as suas eternidades não poderão nos separar!"

O vigia na proa soltou um grito. Empurrando Belît para o lado, Conan saltou, sua espada um longo brilho prateado ao luar, seus cabelos eriçados com o que viu. O guerreiro negro balançava acima do convés, erguido pelo que parecia ser um tronco de árvore escuro e flexível arqueando-se sobre a amurada. Então ele percebeu que era uma serpente gigantesca que havia rastejado pela lateral da proa e agarrado o guerreiro infeliz com suas mandíbulas. Suas escamas gotejantes brilhavam leprosas ao luar enquanto erguia sua forma bem acima do convés, e o homem ferido gritava e se contorcia como um rato nas presas de um píton. Conan avançou para a proa e, brandindo sua grande espada, quase cortou o tronco gigante, que era mais grosso do que o corpo de um homem. O sangue escorria pelos trilhos enquanto o monstro agonizante oscilava para longe, ainda segurando sua vítima, e afundava no rio, uma espiral após a outra, transformando a água em espuma sangrenta, na qual homem e réptil desapareceram juntos.

Depois disso, Conan decidiu ele mesmo montar a guarda, mas nenhum outro horror veio rastejando das profundezas tenebrosas, e conforme o amanhecer alvejava sobre a selva, ele avistou as presas negras das torres projetando-se entre as árvores. Chamou Belît, que dormia no convés, envolta em seu manto escarlate; e ela saltou para o lado dele com os olhos brilhando. Seus lábios se separaram para ordenar aos guerreiros que pegassem o arco e as lanças; então seus lindos olhos se arregalaram.

Não era mais do que o fantasma de uma cidade para a qual eles olharam quando ultrapassaram um ponto saliente coberto de selva e viraram em direção ao arco em curva. Ervas daninhas e grama rançosa do rio cresciam entre as pedras de pilares e pavimentos quebrados que antes haviam sido ruas, praças espaçosas e pátios amplos. De todos os lados, exceto em direção ao rio, a selva se infiltrava, mascarando colunas caídas e desmoronando montes com um verde venenoso. Aqui e ali, torres empenadas cambaleavam bêbadas contra o céu da manhã, e pilares quebrados se projetavam entre as paredes decadentes. No espaço central, uma pirâmide de mármore era encimada por uma coluna fina, e em seu pináculo sentava-se ou acocorava-se algo que Conan supunha ser uma imagem até que seus olhos penetrantes detectaram vida ali.

— É um grande pássaro — disse um dos guerreiros, de pé na proa.

— É um morcego monstro — insistiu outro.

— É um macaco —disse Belît.

Só então a criatura abriu largas asas e voou para a selva.

— Um macaco alado — disse o velho N'Yaga, inquieto. — Era melhor se tivéssemos cortado nossas gargantas do que vir para este lugar. Aqui é assombrado.

Belît zombou de suas superstições e ordenou que a galé navegasse até a costa e fosse amarrada ao cais em ruínas. Ela foi a primeira a saltar para a praia, seguida de perto por Conan, e atrás deles se aglomeraram os piratas de pele escura, as plumas brancas balançando ao vento da manhã, as lanças prontas, os olhos observando desconfiados a selva que os cercava.

Em tudo pairava um silêncio tão sinistro quanto o de uma serpente adormecida. Belît colocou-se pitorescamente entre as ruínas, a vida vibrante em sua figura esguia contrastando estranhamente com a desolação e a decadência ao seu redor. O sol brilhou lentamente, taciturno, acima da selva, inundando as torres com um ouro opaco que deixava sombras espreitando sob as paredes cambaleantes. Belît apontou para uma torre fina e redonda que cambaleava em sua base apodrecida. Uma grande extensão de lajes rachadas e cobertas de grama levava até ela, flanqueada por colunas caídas, e diante dela havia um altar enorme. Belît caminhou rapidamente pelo piso antigo e parou diante dele.

— Este era o templo dos antigos — disse ela. — Olhe, você pode ver os canais para o sangue ao longo das laterais do altar, e as chuvas de dez mil anos não lavaram as manchas escuras deles. Todas as paredes caíram, mas este bloco de pedra desafia o tempo e os elementos.

— Mas quem eram esses antigos? — quis saber Conan.

Ela abriu as mãos magras, impotente.

— Nem mesmo em lendas esta cidade é mencionada. Mas olhe os buracos para as mãos em cada extremidade do altar! Os sacerdotes sempre escondem seus tesouros sob seus altares. Quero que quatro de vocês segurem e vejam se conseguem levantá-lo.

Ela recuou para dar espaço para eles, olhando para a torre que assomava bêbada acima deles. Três dos negros mais fortes haviam agarrado os buracos das mãos cortados na pedra – curiosamente inadequados para mãos humanas – quando Belît saltou para trás com um grito agudo. Eles congelaram em seus lugares, e Conan, curvando-se para ajudá-los, virou praguejando.

— Uma cobra na grama — disse ela, recuando. — Venha e mate-a; o restante de vocês continue tentando levantar esta pedra.

Conan veio rapidamente em sua direção, e outro homem ocupou seu lugar. Enquanto ele examinava impacientemente a grama em busca do réptil, os gigantes negros firmaram os pés, grunhiram e puxaram com seus enormes músculos se contraindo e esticando sob a pele de ébano. O altar não saiu do chão, mas girou repentinamente para o lado. E simultaneamente houve um estrondo de trituração e a torre desabou, cobrindo os quatro homens negros com os destroços.

Um grito de horror ergueu-se de seus camaradas. Os dedos finos de Belît cravaram-se nos músculos do braço de Conan.

— Não havia serpente — sussurrou ela. — Foi apenas uma desculpa para afastá-lo de lá. Eu receava que os antigos tivessem guardado bem o seu tesouro. Vamos tirar as pedras.

Com trabalho hercúleo, eles o fizeram e retiraram os corpos mutilados dos quatro homens. E sob eles, manchados com seu sangue, os piratas encontraram uma cripta esculpida na pedra sólida. O altar, curiosamente articulado com hastes de pedra e encaixes de um lado, servia de tampa. E, à primeira vista, a cripta parecia transbordar de fogo líquido, captando a luz da manhã com um milhão de facetas resplandecentes. Riqueza indescritível estava diante dos olhos dos piratas boquiabertos; diamantes, rubis, jaspes, safiras, turquesas, selenitas, opalas, esmeraldas, ametistas e joias desconhecidas que brilhavam como os olhos de mulheres malignas. A cripta estava cheia até a borda com pedras brilhantes que o sol da manhã atingiu em chamas fulgurosas.

Com um grito, Belît caiu de joelhos na beirada da cripta, entre os escombros manchados de sangue e enfiou os braços brancos até os ombros naquela piscina de esplendor. Ela os retirou, agarrando algo que a fez gritar mais uma vez – um longo colar de pedras vermelhas que eram como coágulos de sangue congelado amarrados em um grosso fio de ouro. Com a luz dourada do sol, seu brilho mudou para o de sangue turvo.

Os olhos de Belît eram como os de uma mulher em transe. A alma semita encontra uma clara embriaguez em riquezas e no esplendor material, e a visão deste tesouro poderia abalar a alma de um imperador de Shushan.

— Peguem as joias, homens! — sua voz estava estridente com tantas emoções.

— Olhem! — um braço negro e musculoso apontou para a Tigresa, e Belît virou, seus lábios vermelhos rosnando, como se ela esperasse ver um corsário rival se aproximando para despojá-la de seu saque. Mas, da amurada do navio, surgiu uma forma escura, pairando sobre a selva.

— O macaco-demônio estava investigando o navio — murmuraram os negros, inquietos.

— Qual é o problema? gritou Belît praguejando, puxando de volta uma mecha rebelde de cabelo com uma mão impaciente.

— Faça uma liteira com as lanças e mantos para carregar essas joias – aonde diabos você está indo?

— Vou olhar a galé — grunhiu Conan. — Aquela coisa morcego pode ter aberto um rombo no casco.

Ele correu rapidamente pelo cais rachado e saltou a bordo. Após um rápido exame abaixo do convés, praguejou cordialmente, lançando um olhar turvo na direção em que o ser-morcego havia desaparecido. Ele voltou apressadamente para Belît, supervisionando o saque da cripta. Ela tinha enrolado o colar em volta do pescoço, e em seu seio branco nu os coágulos vermelhos cintilavam sombriamente. Um enorme negro nu estava de pé dentro cripta com joias até a virilha, pegando grandes punhados de esplendor para passá-los para mãos ansiosas lá em cima. Fios de iridescência congelada penduradas entre seus dedos escuros; gotas de fogo vermelho pingavam de suas mãos, formando altas pilhas de luz estelar e arco-íris. Era como se um titã negro estivesse de pernas abertas nas covas brilhantes do inferno com as mãos erguidas cheias de estrelas.

— Aquele demônio voador arrebentou os tonéis de água — disse Conan. — Se não tivéssemos ficado tão atordoados com essas pedras, teríamos ouvido o barulho. Fomos tolos por não termos deixado um homem de guarda. Não podemos beber a água do rio. Vou levar vinte homens e procurar água doce na selva.

Ela olhou para ele vagamente, em seus olhos o brilho vazio de sua estranha paixão, seus dedos remexendo as joias em seu peito.

— Muito bem — disse ela distraidamente, mal dando atenção a ele. — Vou levar as joias para a galé.

A selva fechou-se rapidamente sobre eles, mudando a luz de dourado para cinza. Dos ramos verdes arqueados, trepadeiras balançavam-se como pítons. Os guerreiros formaram uma fila única, rastejando pelos crepúsculos primordiais como assombrações negras seguindo um fantasma branco.

A vegetação rasteira não era tão densa quanto Conan previra. O solo era esponjoso, mas não lamacento. Longe do rio, ele subia gradualmente. Cada vez mais fundo eles mergulharam nas profundezas verdes ondulantes, e ainda não havia sinal de água, tanto riacho quanto lago de águas paradas. Conan parou de repente, seus guerreiros congelando em estátuas basálticas. No silêncio tenso que se seguiu, o cimério balançou a cabeça irritado.

— Vá em frente — grunhiu ele para um subchefe, N'Gora.

— Marche em frente até que você não possa mais me ver; então pare e espere por mim. Acredito que estamos sendo seguidos. Eu ouvi algo.

Os negros arrastaram os pés, inquietos, mas obedeceram. Enquanto avançavam, Conan deu um passo rápido para trás de uma grande árvore, olhando para trás ao longo do caminho por onde tinham vindo. Daquela fortaleza de folhas qualquer coisa podia surgir. Nada aconteceu; o som fraco dos lanceiros em marcha sumiu ao longe. Conan de repente percebeu que o ar estava impregnado com um cheiro estranho e exótico. Algo roçou suavemente sua têmpora. Ele se virou rapidamente. De um aglomerado de caules verdes com folhas curiosas, talos com grandes botões negros acenaram para ele. Um deles o tocara. Pareciam acenar para ele, arquear suas hastes flexíveis em sua direção. Eles se espalharam e farfalharam, embora nenhum vento soprasse.

Ele recuou, reconhecendo o lótus negro, cujo suco era a morte, e cujo cheiro trazia um sono assombrado. Mas ele já sentia uma letargia sutil envolvendo-o. Tentou erguer sua espada, para cortar os caules serpentinos, mas seu braço estava pendurado sem vida na lateral de seu corpo. Abriu a boca para gritar para seus guerreiros, mas só conseguiu emitir um leve sussurro. No instante seguinte, com uma rapidez assustadora, a selva oscilou e escureceu diante de seus olhos. Conan não ouviu os gritos que explodiram altos não muito longe dali, quando seus joelhos desabaram, deixando-o cair inerte no chão. Acima de sua forma prostrada, as flores negras balançavam no ar sem vento.

III

O terror na selva

> Foi um sonho que o lótus noturno trouxe?
> Então amaldiçoo o sonho que tornou minha vida letárgica
> E que seja amaldiçoada cada hora indolente que não se vê
> Sangue quente gotejar sombriamente da lâmina carmesim.
>
> *A Canção de Belît*

Primeiro, houve a escuridão de um vazio absoluto, com os ventos frios do espaço cósmico soprando por eles. Então formas vagas, monstruosas e evanescentes, rolaram em um panorama sombrio através da expansão do nada, como se a escuridão estivesse tomando forma material. Os ventos sopraram e um vórtice se formou, um redemoinho piramidal de escuridão ruidosa. Dele cresceram a Forma e a Dimensão; então, de repente, como nuvens se dispersando, a escuridão se dissipou em ambos os lados e uma enorme cidade de pedra verde-escura se ergueu na margem de um grande rio, fluindo através de uma planície ilimitada. Por esta cidade moveram-se seres de configuração alienígena.

Moldados como a humanidade, certamente não eram homens. Eram alados e de proporções heroicas; não um galho no misterioso talo da evolução que culminou no homem, mas a flor madura em uma árvore genealógica distinta e separada. Exceto pelas asas, na aparência física eles se assemelhavam ao homem apenas como o homem em sua forma mais elevada se assemelha aos grandes macacos. No desenvolvimento espiritual, estético e intelectual, eram superiores ao homem, assim como o homem é superior ao gorila. Mas quando criaram sua cidade colossal, os ancestrais primitivos do homem ainda não haviam se erguido do limo dos mares primordiais.

Tais seres eram mortais, como todas as coisas feitas de carne e osso. Viveram, amaram e morreram, embora o tempo de vida individual fosse enorme. Então, depois de incontáveis milhões de anos, a Mudança começou. A paisagem tremeluziu e vacilou, como uma cortina soprada pelo vento. Sobre a cidade e a terra as eras fluíram como as ondas fluem sobre uma praia, e cada onda trouxe alterações. Em algum lugar do planeta os polos magnéticos estavam mudando; as grandes geleiras e campos de gelo recuavam em direção aos novos polos.

O litoral do grande rio foi alterado. As planícies se transformaram em pântanos que fediam a vida reptiliana. Onde um dia prados férteis existiram, florestas surgiram, transformando-se em selvas sombrias. As mudanças da era também afetou os habitantes da cidade. Eles não migraram para terras mais férteis. Razões inexplicáveis para a humanidade os prendiam à cidade antiga e ao seu destino. E enquanto aquela terra outrora rica e poderosa afundava mais e mais fundo na lama negra da selva sem sol, assim no caos da tempestuosa vida na selva também afundou o povo da cidade. Convulsões terríveis sacudiram a terra; as noites eram sombrias com vulcões em erupção que decoravam os horizontes escuros com pilares vermelhos.

Após um terremoto que derrubou as muralhas externas e as torres mais altas da cidade, e fez com que o rio ficasse escuro por dias devido a alguma substância letal expelida das profundezas subterrâneas, uma terrível mudança química tornou-se aparente nas águas que o povo havia bebido por milênios incontáveis.

Muitos que beberam sua água morreram; e naqueles que viveram, a bebida provocou uma mudança, sutil, gradual e terrível. Ao se adaptarem às mudanças nas condições, eles afundaram muito abaixo de seu nível original. Mas as águas letais os alteraram ainda mais horrivelmente, de geração em geração mais bestial. Aqueles que eram deuses alados tornaram-se demônios imobilizados, como tudo o que restou do vasto conhecimento de seus ancestrais foi distorcido, pervertido e retorcido em caminhos horríveis. Como eles haviam subido mais alto do que a humanidade poderia sonhar, eles afundaram mais abaixo do que os pesadelos mais loucos do homem podem alcançar. Morreram rápido, por canibalismo, e confrontos assustadores travados na escuridão da selva da meia-noite. E, por fim, entre as ruínas cobertas por musgos de sua cidade, apenas uma única forma se escondia, uma e abominável perversão atrofiada da natureza.

Então, pela primeira vez, os humanos apareceram: homens de pele escura, rosto de falcão, com arreios de cobre e couro, carregando arcos – os guerreiros da Estígia pré-histórica. Havia apenas cinquenta deles, e estavam abatidos e magros por causa da fome e pelo esforço prolongado, manchados e arranhados pela peregrinação na selva, enrolados em ataduras com crostas de sangue que revelavam combates ferozes. Em suas mentes, traziam histórias de guerra e derrota, e fuga diante de uma tribo mais forte que os levou cada vez mais para o sul, até que se perderam no oceano verde da selva e do rio.

Exaustos, deitaram-se entre as ruínas onde flores vermelhas que florescem apenas uma vez a cada século ondulavam na lua cheia e o sono caía sobre eles. E enquanto eles dormiam, uma forma horrível de olhos vermelhos rastejou das sombras e executou ritos estranhos e terríveis sobre cada um dos homens adormecidos. A lua pairava no céu sombrio, pintando a selva de vermelho e preto; acima dos adormecidos cintilavam as flores vermelhas, como respingos de sangue. Então a lua se pôs e os olhos do necromante eram joias vermelhas na escuridão da noite.

Quando o amanhecer estendeu seu véu branco sobre o rio, não havia homens à vista: apenas um horror alado peludo que se agachava no centro de um círculo composto por cinquenta grandes hienas pintadas que apontavam focinhos trêmulos para o céu lívido e uivavam como almas no inferno.

Uma cena se seguia à outra tão rapidamente que cada uma tropeçava nos calcanhares de sua antecessora. Houve uma confusão de movimento, uma contorção e fusão de luzes e sombras, contra um fundo de selva negra, ruínas de pedra verde e rio turvo. Homens negros subiam o rio em longos barcos com crânios sorridentes nas proas ou surgiam agachados por entre as árvores, com a lança na mão. Eles fugiram gritando pela escuridão com olhos vermelhos e presas assassinas. Uivos de homens moribundos sacudiram as sombras; pés furtivos caminharam pela escuridão, olhos de vampiro brilharam em vermelho. Banquetes sinistros e sanguinários foram realizados sob o luar, diante do qual uma silhueta similar à de um morcego passava planando vez após outra.

Então, de forma abrupta, claramente em contraste com esses vislumbres impressionistas, contornando a selva no claro amanhecer, surgiu uma comprida galé, apinhada de brilhantes figuras de ébano, e na proa vinha um fantasma de pele branca coberto em aço azul.

Foi nesse ponto que Conan percebeu que estava sonhando. Até aquele momento ele não tinha consciência da sua existência individual. Mas ao se ver pisando nas tábuas da Tigresa, reconheceu sua existência e o sonho, embora não tenha despertado.

Mesmo enquanto delirava, a cena mudou abruptamente para uma clareira na selva onde N'Gora e dezenove lanceiros negros pararam, como se esperassem alguém. Mesmo quando percebeu que era por ele que esperavam, um horror desceu dos céus e sua impassibilidade foi quebrada por gritos de medo. Como homens enlouquecidos de terror, eles jogaram fora suas armas e correram loucamente pela selva, pressionados pela monstruosidade assassina que batia as asas acima deles.

Caos e confusão seguiram essa visão, durante a qual Conan lutou debilmente para acordar. Vagamente, ele parecia se ver deitado sob um aglomerado de flores negras, enquanto dos arbustos uma forma hedionda rastejava em sua direção. Com um esforço selvagem, ele quebrou as amarras invisíveis que o prendiam aos seus sonhos e começou a ficar ereto.

Havia perplexidade no olhar que lançou sobre ele. Perto dele o lótus escuro balançou, e ele se apressou em se afastar dele.

No solo esponjoso ali perto havia uma trilha como se um animal tivesse pisado ali, preparando-se para emergir dos arbustos, e depois o tivesse retirado. Parecia o rastro de uma hiena incrivelmente grande.

Ele gritou por N'Gora. O silêncio primordial pairou sobre a selva, na qual seus gritos soaram frágeis e vazios como uma zombaria. Ele não podia ver o sol, mas seu instinto treinado na selva disse-lhe que o dia estava chegando ao fim. O pânico cresceu nele ao pensar que tinha ficado sem sentido por horas. Ele seguiu apressadamente as pegadas dos lanceiros, que se estendiam pela terra úmida à sua frente. Eles correram em fila única, e ele logo emergiu em uma clareira onde abruptamente, sentiu um arrepio na nuca quando ele a reconheceu como a clareira que vira em seu sonho drogado com lótus. Escudos e lanças estavam espalhados como se tivessem caído durante uma fuga.

E pelos rastros que saíam da clareira e se aprofundavam nas fortalezas, Conan sabia que os lanceiros tinham fugido em pânico. As pegadas se sobrepunham; eles ziguezagueavam às cegas entre as árvores. E com uma rapidez surpreendente, o apressado cimério saiu da selva desembocando em uma rocha semelhante a uma colina que se inclinava subitamente, culminando em um precipício íngreme de doze metros de altura. E havia algo agachado na beirada.

A princípio, Conan pensou que fosse um grande gorila preto. Então viu que era um homem negro gigante que se agachava

A RAINHA DA COSTA NEGRA

como um macaco, tinha os braços longos pendurados e espuma escorrendo de seus lábios. Só quando, com um grito profundo, a criatura ergueu as mãos enormes e correu em sua direção, Conan reconheceu N'Gora. O homem negro não deu atenção ao grito de Conan enquanto atacava, os olhos revirados, os dentes brancos à mostra, o rosto transformado em uma máscara desumana.

Com a pele arrepiada com o horror que a loucura sempre instila nos sãos, Conan passou sua espada pelo corpo do homem negro; evitando as mãos em forma de gancho que tentaram lhe agarrar quando N'Gora caiu; ele caminhou até a beira do penhasco.

Por um instante, ficou olhando para as rochas irregulares abaixo, onde jaziam os lanceiros de N'Gora, em posições flácidas e distorcidas que indicavam membros esmagados e ossos estilhaçados. Nenhum se movia. Uma nuvem de enormes moscas negras zumbia alto acima das pedras salpicadas de sangue; as formigas já começavam a roer os cadáveres. Nas árvores ao redor, pássaros de rapina e um chacal, olhando para cima e vendo o homem no penhasco, escapuliram furtivamente.

Por um curto período, Conan ficou imóvel. Então ele virou e correu de volta pelo caminho de onde viera, lançando-se com pressa imprudente pela grama alta e pelos arbustos, passando por trepadeiras que se esparramavam como cobras em seu caminho. Segurava a espada abaixada em sua mão direita, e uma palidez incomum tingia seu rosto moreno.

O silêncio que reinava na selva não foi quebrado. O sol havia se posto e grandes sombras surgiam do limo da terra negra. Através das sombras gigantescas da morte à espreita e da desolação sombria, Conan era um vislumbre veloz de aço escarlate e azul. Nenhum som foi ouvido em todo aquele isolamento, exceto sua própria respiração rápida quando ele irrompeu das sombras para o crepúsculo escuro da margem do rio.

Ele viu a galé junto ao cais apodrecido, as ruínas cambaleando embriagadas na meia-luz cinzenta.

E aqui e ali, entre as pedras, havia manchas de cores vivas e cruas, como se uma mão descuidada tivesse dado uma pincelada com tinta vermelha.

Mais uma vez, Conan contemplou a morte e a destruição. Diante dele estavam seus lanceiros, que não se levantaram para saudá-lo. Da borda da selva à margem do rio, entre os pilares apodrecidos e ao longo dos pilares quebrados, eles jaziam, rasgados e mutilados e meio devorados, caricaturas mastigadas de homens.

Ao redor dos corpos e dos pedaços havia enormes pegadas, similares a de grandes hienas.

Conan aproximou-se silenciosamente do píer, aproximando-se da galé e percebeu que algo estava suspenso sobre o convés, algo que brilhava em tom marfim no crepúsculo tênue. Sem conseguir emitir nenhum som, o cimério olhou para a Rainha da Costa Negra pendurada no mastro de sua própria galé. Entre o mastro e sua garganta branca havia um colar de gemas vermelhas que brilhavam como sangue na luz cinza.

IV
O ataque que veio do ar

As sombras eram negras ao seu redor,
As mandíbulas gotejantes se abriram amplamente,
Mais densas do que a chuva, as gotas vermelhas caíram;
Mas meu amor era mais feroz do que o feitiço negro da Morte,
Nem todas as paredes de ferro do inferno
Poderiam me manter longe dele.

A Canção de Belît

A selva era um colosso negro que fechava a clareira cheia de ruínas com braços de ébano. A lua não nascera; as estrelas eram manchas de âmbar quente em um céu sem nuvens que cheirava a morte. Na pirâmide entre as torres caídas estava Conan, o cimério, como uma estátua de ferro, o queixo apoiado em punhos enormes. Nas sombras densas, patas furtivas se moviam e olhos vermelhos brilhavam. Os mortos jaziam onde haviam caído. Mas no convés da Tigresa, em uma pira de bancos quebrados, hastes de lanças e peles de leopardo, estava a Rainha da Costa Negra em seu último sono, envolta no manto escarlate de Conan. Como uma verdadeira rainha, ela estava deitada, com as joias amontoadas ao seu redor: sedas, tecido de ouro, tranças de prata, tonéis de pedras preciosas e moedas de ouro, lingotes de prata, punhais com joias e pirâmides de ouro.

Quanto ao saque feito na cidade amaldiçoada, apenas as águas sombrias de Zarkheba poderiam dizer onde Conan o jogara praguejando como um pagão. Agora ele estava sentado taciturno na pirâmide, esperando por seus inimigos invisíveis. A fúria sombria em sua alma espantou todo o medo. Que formas emergiriam da escuridão, ele não sabia, nem se importava. Ele não duvidava mais das visões do lótus negro. Entendeu que enquanto esperava por ele na clareira, N'Gora e seus camaradas foram atingidos pelo terrível monstro alado que se lançou sobre eles do céu e fugiram em pânico cego, caíram do penhasco, todos exceto seu chefe, que de alguma forma escapou de seu destino, embora não da loucura. Enquanto isso, ou imediatamente depois, ou talvez antes, a destruição das pessoas na margem do rio aconteceu. Conan não tinha dúvidas de que a matança ao longo do rio tinha sido um massacre, e não uma batalha. Já desprovidos de coragem por seus medos supersticiosos, os negros bem poderiam ter morrido sem desferir um golpe em sua própria defesa quando foram atacados por seus inimigos desumanos.

Porque ele havia sido poupado por tanto tempo, ele não entendia, a menos que a entidade maligna que governava o rio pretendesse mantê-lo vivo para torturá-lo com tristeza e medo. Todos apontavam para uma inteligência humana ou sobre-humana: o rompimento dos tonéis de água para dividir as forças, a forma como os negros foram levados para o penhasco e, por último, o sinistro colar de joias vermelhas pendurado como um nó de forca no pescoço branco de Belît.

Tendo aparentemente guardado o cimério para o final e forçado uma primorosa tortura mental até a última instância, era provável que o inimigo desconhecido concluísse o drama mandando-o após as outras vítimas. Nenhum sorriso curvou os lábios sombrios de Conan ante o pensamento, mas seus olhos brilharam como uma risada de ferro.

A lua nasceu, fazendo brilhar o capacete com chifres do cimério. Nenhum som ecoou; mas de repente a noite ficou tensa e a selva prendeu a respiração. Instintivamente, Conan afrouxou a grande espada em sua bainha. A pirâmide em que ele se apoiava tinha quatro lados, um deles, lado voltado para a selva, era esculpido em degraus largos. Em sua mão estava um arco semita, como Belît ensinou seus piratas a usar. Uma pilha de flechas estava a seus pés, as extremidades com penas viradas em sua direção, enquanto ele se apoiava em um de seus joelhos.

Algo se moveu na escuridão sob as árvores. Destacado contra a luz da lua nascente, Conan viu uma cabeça e ombros indistintos, com contornos brutos. E agora, das trevas, formas escuras surgiram silenciosamente, rapidamente, correndo baixo — vinte grandes hienas pintadas. Suas presas ardentes brilhavam ao luar, seus olhos brilhavam como jamais brilharam os olhos de nenhuma outra besta verdadeira.

Vinte: então, as lanças dos piratas haviam cobrado o tributo da matilha, afinal. Enquanto pensava nisso, Conan puxou a corda do arco e, ao ouvir o som uma sombra com olhos de fogo, saltou alto e caiu se contorcendo. O resto não vacilou; avançaram e, foram atingidas pelas flechas do cimério como uma chuva mortal, disparadas com toda a força e precisão dos músculos de aço e reforçadas por um ódio ardente como os montes de escória do inferno.

Em sua fúria frenética, ele não errou; o ar estava cheio de destruição emplumada. A destruição causada entre a manada que avançava foi de tirar o fôlego. Menos da metade deles chegou ao pé da pirâmide. Outros subiram nos degraus largos. Olhando para os olhos brilhantes, Conan sabia que essas criaturas não eram bestas; não foi apenas em seu tamanho anormal que ele percebeu uma diferença blasfema. Eles exalavam uma aura tangível como a névoa negra subindo de um pântano coberto de cadáveres. Por qual alquimia ímpia tais seres haviam sido criados, ele não sabia dizer; mas sabia que enfrentava o diabolismo mais sinistro do que o do Poço de Skelos.

Ficando em pé, ele dobrou seu arco poderosamente e dirigiu sua última flecha à queima-roupa em uma grande forma cabeluda que se elevou em sua garganta. A flecha parecia um raio de luz que brilhava para a frente deixando um borrão em sua trajetória e derrubando em pleno ar a fera que, trespassada, caiu de frente convulsivamente.

Então as demais criaturas avançaram sobre ele, em um pesadelo de olhos brilhantes e presas gotejantes. Sua espada feroz atingiu a primeira; mas o impacto desesperado dos outros o derrubou. Ele esmagou um crânio estreito com o cabo da espada, sentindo o estilhaço do osso e sangue e miolos jorrando sobre sua mão; então, largando a espada, inútil em uma distância tão curta, segurou pelo pescoço dois dos horrores que o arranhavam e laceravam em fúria silenciosa. Um cheiro fétido e acre quase o sufocou, seu próprio suor o cegou. Apenas sua cota de malha o salvou de ser rasgado em tiras em um instante. Logo sua mão direita nua travou em uma garganta cabeluda e a abriu. Sua mão esquerda, livre da garganta da outra fera, agarrou e quebrou a pata dianteira da que ele segurava em sua direita. Um grito curto, o único grito naquela batalha terrível, e terrivelmente humano, explodiu da besta mutilada. Com o horror doentio daquele grito de uma garganta bestial, Conan involuntariamente relaxou seu aperto.

Uma criatura, com o sangue jorrando de sua jugular rasgada, investiu contra ele em um último golpe de ferocidade e cravou as presas em sua garganta e caiu morto, mesmo quando Conan sentia a agonia dilacerante de seu aperto.

A outra, saltando para frente sobre três pernas, estava cortando sua barriga como um lobo, na verdade ela estava rasgando os elos de sua cota de malha. Atirando para o lado a fera que agonizava, Conan lutou contra o horror aleijado e, com um esforço físico que arrancou um gemido de seus lábios salpicados de sangue, ele ficou em pé, erguendo em seus braços o demônio que se debatia. Por um instante, ele perdeu o equilíbrio, o hálito fétido quente em suas narinas; suas mandíbulas estalando em seu pescoço; então ele o arremessou para longe, para cair com força de estilhaçar ossos pelos degraus de mármore.

Enquanto cambaleava com as pernas afastadas, soluçando para respirar, a selva e a lua nadando sangrentas sob seu suspiro, o bater de asas de morcego soou alto em seus ouvidos. Abaixando-se, ele tateou em busca da espada e, cambaleando, firmou os pés como um bêbado e ergueu a grande lâmina acima da cabeça com as duas mãos, sacudindo o sangue de seus olhos enquanto buscava no ar acima dele seu inimigo.

Em vez de um ataque do ar, a pirâmide cambaleou repentina e terrivelmente sob seus pés. Ele ouviu um estalo estrondoso e viu a coluna alta acima dele oscilar como um bambu. Movido pelo instinto de sobrevivência, ele saltou para longe; seus pés bateram em um degrau, a meio caminho para baixo, que balançou sob ele, e seu próximo salto desesperado o levou para longe. Mas mesmo quando seus calcanhares atingiram a terra, com um estrondo de uma avalanche, a pirâmide desmoronou, a coluna desabou, estilhaçando-se. Por um instante cego e cataclísmico, o céu pareceu chover fragmentos de mármore. Então, um entulho de pedra despedaçada depositou-se candidamente sob a lua.

Conan se mexeu, sacudindo os detritos que o cobriam pela metade. Um golpe de raspão arrancou seu capacete e o deixou atordoado momentaneamente. Entre suas pernas estava um grande pedaço da coluna, prendendo-o. Ele não sabia se suas pernas estavam quebradas. Seus cabelos negros estavam cobertos de suor; sangue escorria das feridas em sua garganta e em suas mãos. Ele se apoiou em um braço, lutando contra os escombros que o aprisionavam.

Então algo desceu pelas estrelas e atingiu o gramado perto dele. Virando-se, ele viu – o alado!

Com uma velocidade assustadora, avançava sobre ele e, naquele instante, Conan conseguiu ver apenas uma confusa forma gigantesca parecida com um homem se arremessando sobre as pernas arqueadas e atrofiadas; de enormes braços peludos estendendo-se para patas deformadas com unhas pretas; tinha uma cabeça malformada, em cujo rosto largo as únicas feições reconhecíveis como tal eram um par de olhos vermelho-sangue. Era uma coisa, nem humana ou animal, nem demônio, imbuída de características subumanas tanto quanto de características sobre-humanas.

Mas Conan não teve tempo para pensamentos consecutivos e conscientes. Ele se jogou em direção à espada caída, e seus dedos em garras erraram por centímetros. Desesperadamente, ele agarrou o fragmento que prendia suas pernas, e as veias incharam em suas têmporas enquanto ele lutava para arrancá-lo de si. Cedeu lentamente, mas ele sabia que, antes que pudesse se libertar, o monstro estaria sobre ele, e ele sabia que aquelas mãos com garras negras eram a morte.

A corrida precipitada do alado não vacilou. Ele se erguia sobre o prostrado cimério como uma sombra negra, com os braços abertos – um brilho branco cintilou entre ele e sua vítima.

Em um instante louco ela estava lá – uma forma branca tensa, vibrante com um amor feroz como o de uma pantera. O atordoado cimério viu entre ele e a morte que se aproximava, sua figura ágil, brilhando como marfim sob a lua; ele viu o brilho de seus olhos escuros, o grosso cacho de seu cabelo lustroso; seu peito arfava, seus lábios vermelhos estavam separados, ela gritou forte e retumbante no círculo de aço quando empurrou o peito do monstro alado.

— Belît! — gritou Conan.

Ela lançou um rápido olhar para ele, e em seus olhos escuros ele viu seu amor em chamas, uma coisa elementar nua de fogo cru e lava derretida. Então ela se foi, e o cimério viu apenas o demônio alado que havia recuado em um medo incomum, com os braços erguidos como se para se defender de um ataque. E ele sabia que Belît na verdade jazia em sua pira no convés da Tigresa.

Em seus ouvidos ecoava seu grito apaixonado: "Se eu estivesse morta e você lutando pela vida, voltaria do abismo para ajudá-lo..."

Com um grito terrível, ele se lançou para cima, jogando a pedra para o lado. O alado avançou novamente e Conan saltou para enfrentá-lo, com as veias em chamas de loucura. Os músculos se tencionaram como cordas em seus antebraços enquanto ele balançava sua grande espada, girando em seu calcanhar parecendo um poderoso arco. O golpe atingiu a criatura logo acima dos quadris, e as pernas nodosas caíram para um lado, o torso para outro quando a lâmina cortou seu corpo peludo.

Conan ficou parado no silêncio do luar, a espada gotejante pendurada em sua mão, olhando para os restos de seu inimigo. Os olhos vermelhos o fitavam com uma vida terrível, então vidrados e fixos; as grandes mãos se contraíram espasmodicamente e enrijeceram. E a raça mais antiga do mundo foi extinta.

Conan ergueu a cabeça, procurando mecanicamente pelas feras que haviam sido seus escravos e algozes. Não encontrou nenhuma. Os corpos que ele viu espalhados pela grama salpicada de lua eram de homens, não de feras: homens de rosto de falcão, pele escura, nus, paralisados por flechas ou mutilados por golpes de espada. E eles estavam se desintegrando em pó diante de seus olhos.

Por que o mestre alado não veio em auxílio de seus escravos quando lutou com eles? Teve medo de chegar ao alcance de presas que poderiam girar e rasgá-lo? Astúcia e cautela espreitaram naquele crânio disforme, mas não surtiram efeito no final.

Virando-se, o cimério desceu o cais apodrecido e entrou na galé. Alguns golpes de sua espada às amarras a deixaram à deriva, e ele foi até o leme. A Tigresa balançou lentamente na água sombria, deslizando lentamente em direção ao meio do rio, até que a correnteza a pegou. Conan se apoiou no leme, seu olhar sombrio fixo na forma envolta em um manto que jazia na pira, cercado por uma riqueza que rivalizaria com o resgate de uma imperatriz.

A Pira funeral

> Agora terminamos com a perambulação, para sempre;
> Acabaram-se os remos, o refrão da harpa ventosa;
> Nenhuma flâmula vermelha para assustar a costa sombria;
> Cinturão azul do mundo, receba novamente
> Aquela que tu me deste.
>
> *A Canção de Belît*

Mais uma vez o amanhecer tonalizou o oceano. Um brilho mais vermelho iluminou a foz do rio. Conan da Ciméria apoiou-se em sua grande espada na praia branca, observando a Tigresa se balançando em sua última viagem. Não havia luz em seus olhos que contemplassem as ondas vítreas. Fora das ruínas azuis ondulantes, toda a glória e maravilha haviam desaparecido. Uma repulsa feroz o sacudiu enquanto ele olhava para as ondas verdes que se aprofundaram em uma névoa púrpura de mistério.

Belît foi do mar; ela emprestou-lhe esplendor e fascínio. Sem ela, aquilo era apenas uma imensidão deserta, melancólica e desolada de polo a polo. Ela pertencia ao mar; e ao seu eterno mistério, ele a devolveu. Ele não podia fazer mais nada. Para ele, o esplendor azul agora era mais repulsivo do que as matas frondosas que farfalhavam e sussurravam atrás dele, e nas quais ele deveria se embrenhar.

Nenhuma mão controlava o leme da Tigresa, nenhum remo a conduzia através da água verde. Mas um vento limpo e forte inchava sua vela de seda e, como um cisne selvagem corta o céu em seu ninho, ela acelerou em direção ao mar, as chamas subindo cada vez mais alto de seu convés para lamber o mastro e envolver a figura que estava banhada em escarlate na pira brilhante.

Assim se foi a Rainha da Costa Negra, e apoiado em sua espada manchada de vermelho, Conan ficou em silêncio até que o brilho vermelho se dissipou nas brumas azuis e o amanhecer espalhou seu tom rosa e dourado sobre o oceano.

Este conto, "O demônio de ferro", é a última das narrativas agrupadas no que convencionou-se chamar de Período Intermediário e também a última a ser publicada. Após um hiato de seis meses sem escrever as aventuras de Conan, Howard finalmente escreve o conto em 1933, mas só o publica em agosto de 1934 na revista *Weird Tales*. Tal como as outras histórias do mesmo período, compartilha as conhecidas características em comum: uma mulher destemida, arcaicas ruínas de uma civilização perdida e criaturas sobrenaturais. A heroína é a princesa Octavia, agora cativa de guerra, que é usada como isca para capturar Conan. Demônios e gigantescas pítons dão a essa aventura o delicioso sabor mesclado de ação com horror, bem característico das histórias de Conan.

O DEMÔNIO DE FERRO

I

O pescador tirou a faca da bainha. O gesto foi instintivo, pois o que ele temia não era nada que uma faca pudesse matar, nem mesmo a lâmina serrilhada do Yuetshi, que poderia estripar um homem com um só golpe. Nem homem nem animal o ameaçavam na solidão que pairava sobre os castelos de Xapur.

Ele havia escalado os penhascos, passado pela selva que os delimitava e agora estava cercado por indícios de um Estado desaparecido. Colunas quebradas cintilavam entre as árvores, as linhas esparsas de paredes em ruínas serpenteavam nas sombras e, sob seus pés, havia calçadas largas, rachadas e curvadas por raízes crescendo abaixo delas.

O pescador era típico de sua raça, aquele povo estranho cuja origem se perde na alvorada cinzenta do passado, e que desde tempos imemoriais viveu em suas rudes cabanas de pesca ao longo da costa sul do Mar de Vilayet. Ele era encorpado, com braços longos e peito forte, mas com lombos magros e pernas finas e curvas. Seu rosto era largo, sua testa baixa e recuada, seu cabelo espesso e emaranhado. Um cinto para a faca e um trapo como tanga eram tudo que ele usava como roupa.

O fato de ele estar onde estava provava que era mais curioso do que a maioria de seu povo. Os homens raramente visitavam Xapur. Era desabitada, quase esquecida, apenas uma entre uma miríade de ilhas que pontilhavam o grande mar interno. Os homens a chamavam de Xapur, a Fortificada, por causa de suas ruínas, remanescentes de algum reino pré-histórico, perdido e esquecido antes que os conquistadores hiborianos cavalgassem para o sul. Ninguém sabia quem erguera aquelas pedras, embora lendas obscuras persistissem entre os Yuetshi, que sugeriam de forma inteligível uma conexão bastante antiga entre os pescadores e o reino insular desconhecido.

Mas já se passara um milênio sem que nenhum Yuetshi compreendesse a importância daquelas histórias, eles as repetiam agora como uma fórmula despida de significado, palavras sem sentido que passavam por seus lábios apenas por costume. Nenhum Yuetshi ia a Xapur há um século. A costa continental mais próxima era desabitada, um pântano de juncos entregue às feras sombrias que o assombravam. A aldeia dos peixes ficava a alguma distância ao sul, no continente. Uma tempestade soprou sua frágil embarcação de pesca para longe de seus lugares habituais e a destruiu em uma noite de relâmpagos e águas turbulentas nos penhascos altos da ilha. Agora, ao amanhecer, o céu brilhava azul e claro, o sol nascente transformava as gotas de orvalho em joias. Ele escalara os penhascos aos quais se agarrou durante a noite porque, no meio da tempestade, viu um raio terrível em forma de lança iluminar o céu escuro, e seu estrondo, que sacudiu toda a ilha, foi acompanhado por um estrondo cataclísmico que ele duvidava que pudesse ter resultado de uma árvore rachada.

Uma vaga curiosidade o levara a investigar; e agora ele encontrou o que procurava e uma inquietação animal o dominou, uma sensação de perigo à espreita.

Entre as árvores erguia-se uma estrutura em forma de cúpula quebrada, construída com blocos gigantescos feitos da peculiar pedra verde parecida com ferro encontrado apenas nas ilhas de Vilayet. Parecia incrível que mãos humanas pudessem tê-los moldado e os colocado onde estavam, e certamente estava além do poder humano derrubar a estrutura que eles formavam.

Mas o raio havia estilhaçado os blocos pesados como se fossem vidro, reduzido outros a pó verde e arrancado o arco da cúpula.

O pescador escalou os escombros e olhou para dentro, e o que viu provocou-lhe um grunhido. Dentro da cúpula em ruínas, cercada por pó de pedra e pedaços de alvenaria quebrada, estava um homem sobre um bloco dourado. Ele estava vestido com uma espécie de saia e um cinturão de couro. Seu cabelo preto, que caía em uma juba quadrada por cima de seus ombros maciços, estava preso em volta da testa por uma tira dourada. Em seu peito nu e musculoso havia uma curiosa adaga com o cabo cravejado de joias, envolta em uma capa de couro e uma larga lâmina crescente. Era muito parecida com a faca que o pescador usava no quadril, mas não tinha a ponta serrilhada e era feita com habilidade infinitamente superior.

O pescador desejava a arma. O homem, claro, estava morto; estava morto há muitos séculos. Esta cúpula era sua tumba. O pescador não se perguntou que arte os antigos haviam feito para preservar o corpo com tamanha vitalidade, com a musculatura dos membros plena e livre de rugas, e a pele escura com sua vitalidade intacta. O cérebro fraco do Yuetshi tinha espaço apenas para seu desejo pela faca com as delicadas linhas onduladas que formavam sua lâmina reluzente.

Descendo para a cúpula, ele tirou a arma do peito do homem. E, ao fazer isso, uma coisa estranha e terrível aconteceu. As mãos musculosas e escuras se fecharam convulsivamente, as pálpebras se abriram, revelando grandes olhos magnéticos escuros cujo olhar atingiu o pescador assustado como um golpe físico. Ele recuou, deixando cair a adaga adornada com joias em sua perturbação. O homem no estrado levantou-se e ficou sentado, e o pescador ficou boquiaberto com seu tamanho, agora revelado. Seus olhos estreitos seguraram o Yuetshi e naqueles orbes ele não viu nem amizade nem gratidão; viu apenas um fogo tão estranho e hostil quanto o que arde nos olhos de um tigre.

De repente, o homem se levantou e se ergueu acima dele, uma ameaça em todos os seus aspectos. Não havia espaço no cérebro entorpecido do pescador para o medo, pelo menos não o tipo de medo que poderia dominar um homem que acabava de ver as leis fundamentais da natureza serem desafiadas. Quando as grandes mãos caíram sobre seus ombros, ele sacou sua faca de serra e golpeou com o mesmo movimento. A lâmina se estilhaçou contra a barriga do estranho como contra uma coluna de aço, e então o pescoço grosso do pescador se quebrou como um galho podre nas mãos gigantes.

II

Jehungir Agha, senhor de Khawarizm e guardião da fronteira costeira, examinou mais uma vez o pergaminho ornamentado com seu selo de pavão e deu uma risada breve e sarcástica.

— E? — perguntou sem rodeios seu conselheiro Ghaznavi.

Jehungir deu de ombros. Ele era um homem bonito, e possuía o orgulho impiedoso de alguém que tem uma herança nobre e suas próprias realizações.

— O rei está ficando sem paciência — disse ele. — Escrevendo de próprio punho, ele reclama amargamente do que chama de meu fracasso em proteger a fronteira. Por Tarim, se eu não puder desferir um golpe nesses ladrões das estepes, Khawarizm precisará de um novo senhor.

Ghaznavi mexeu em sua barba grisalha meditando. Yezdigerd, rei de Turan, era o monarca mais poderoso do mundo. Em seu palácio na grande cidade portuária de Aghrapur, a pilhagem

O DEMÔNIO DE FERRO

de impérios inteiros se acumulava. Suas frotas de galés de guerra com velas púrpura haviam transformado Vilayet em um lago hirkaniano. O povo de pele escura de Zamora prestou homenagem a ele, assim como as províncias orientais de Koth. Os semitas se curvaram a seu governo até a oeste, em Shushan. Seus exércitos devastaram as fronteiras da Estígia no Sul e as terras nevadas dos hiperbóreos no Norte. Seus cavaleiros empunharam tochas e espadas para o oeste, em Brythunia, Ophir e Corinthia, até as fronteiras da Nemédia. Seus espadachins de elmos dourados pisotearam as hostes sob os cascos de seus cavalos e cidades muradas pegaram fogo ao seu comando. Nos saturados mercados de escravos de Aghrapur, Sultanapur, Khawarizm, Shahpur e Khorusun, as mulheres eram vendidas por três pequenas moedas de prata — britunianas loiras, estígias morenas, zamorianas de cabelos escuros, kushitas com pele cor de ébano e semitas de pele cor de oliva.

No entanto, por mais que seus céleres cavaleiros derrotassem exércitos nas fronteiras mais distantes, em seu próprio território um audacioso oponente puxava suas barbas com uma mão gotejante de sangue e manchada pela fumaça.

Nas amplas estepes entre o mar de Vilayet e as fronteiras dos reinos hiborianos mais orientais, uma nova raça surgiu no último meio século, formada originalmente por criminosos em fuga, homens falidos, escravos fugidos e soldados desertores. Eles eram homens de muitos crimes e países, alguns nascidos nas estepes, alguns fugindo dos reinos do oeste. Foram chamados de kozakis, que significa escória.

Morando nas estepes selvagens e abertas, sem possuir nenhuma lei além de seu próprio código peculiar, eles se tornaram um povo capaz de desafiar o Grande Monarca. Incessantemente, invadiram a fronteira turaniana, voltando para as estepes quando derrotados; com os piratas de Vilayet, homens quase da mesma raça, assolaram a costa, atacando os navios mercantes que navegavam entre os portos hirkanianos.

— Como vou esmagar esses lobos? — perguntou Jehungir.

— Se eu os seguir até as estepes, corro o risco de ser isolado e destruído ou de ser totalmente enganado e ter a cidade queimada na minha ausência. Ultimamente, eles têm sido mais ousados do que nunca.

— Isso é por causa do novo chefe que surgiu entre eles — respondeu Ghaznavi. — Você sabe de quem estou falando.

— Sim! — respondeu Jehungir ressentido. — É aquele demônio Conan; ele é ainda mais selvagem do que os kozakis, mas é astuto como um leão da montanha.

— É mais pelo instinto do animal do que pela inteligência — respondeu Ghaznavi. — Os outros kozakis pelo menos são descendentes de homens civilizados. Ele é um bárbaro. No entanto, eliminá-lo seria um golpe forte para eles.

— Mas como? — perguntou Jehungir. — Ele repetidamente conseguiu se safar de condições que pareciam morte certa para ele. E, por instinto ou astúcia, ele evitou ou escapou de todas as armadilhas preparadas para ele.

— Para cada animal e para cada homem há uma armadilha da qual ele não vai escapar — disse Ghaznavi. — Depois de termos negociado com os kozakis pela liberdade dos cativos, observei esse homem, Conan. Ele adora mulheres e bebidas fortes. Mande buscar sua prisioneira Octavia.

Jehungir bateu palmas e um impassível eunuco kushita, uma imagem de ébano brilhante usando pantalonas de seda, curvou-se diante dele e foi cumprir suas ordens. Logo ele voltou, puxando pelo pulso uma garota alta e bonita, cujo cabelo amarelo, olhos claros e pele clara a identificavam como um membro de sangue puro de sua raça. Sua túnica de seda escassa, cingida na cintura, exibia os contornos maravilhosos de sua figura magnífica. Seus belos olhos brilhavam com ressentimento e seus lábios vermelhos estavam carrancudos, mas ela aprendeu a ser submissa no cativeiro. Ficou parada com a cabeça baixa diante de seu mestre até que ele a indicou para se sentar no divã ao lado dele. Então ele olhou interrogativamente para Ghaznavi.

— Precisamos atrair Conan para longe dos kozakis — disse o conselheiro abruptamente. — O acampamento de guerra deles está montado em algum lugar no curso inferior do rio Zaporoska, que, como você bem sabe, é uma selva de juncos, uma selva pantanosa em que nossa última expedição foi despedaçada por aqueles demônios sem mestre.

— É impossível que eu esqueça isso — disse Jehungir ironicamente.

— Há uma ilha desabitada perto do continente — disse Ghaznavi —, conhecida como Xapur, a Fortificada, por causa de algumas ruínas antigas sobre ela. Há uma peculiaridade nela que a torna perfeita para o nosso propósito. Não tem linha costeira, mas se ergue íngreme do mar em penhascos de cinquenta metros de altura. Nem mesmo um macaco poderia subir neles. O único lugar por onde um homem pode subir ou descer é um caminho estreito no lado oeste que tem a aparência de uma escada gasta, esculpida na rocha sólida dos penhascos.

"Se conseguíssemos prender Conan naquela ilha, sozinhos, poderíamos caçá-lo à vontade, com arcos, como os homens caçam um leão."

— É o mesmo que desejar ter a lua — disse Jehungir com impaciência. — Devemos enviar-lhe um mensageiro, pedindo-lhe que escale o penhasco e aguarde nossa chegada?

— Na verdade, sim!

Vendo o olhar de espanto de Jehungir, Ghaznavi continuou:

— Vamos pedir uma negociação com os kozakis a respeito dos prisioneiros, na orla das estepes perto do Forte Ghori. Como de costume, iremos com uma força e acamparemos fora do castelo. Eles virão, com igual força, e a negociação prosseguirá com a habitual desconfiança e suspeita. Mas desta vez vamos levar conosco, como se por acaso, sua bela prisioneira.

Octavia mudou de cor e ouviu com tenso interesse enquanto o conselheiro acenava com a cabeça em sua direção.

— Ela usará todos os seus artifícios para atrair a atenção de Conan. Isso não deve ser difícil. Para aquele selvagem ela deve parecer uma visão deslumbrante de beleza. Sua vitalidade e encanto devem atraí-lo mais vividamente do que qualquer outra beldade enfeitada do seu harém.

Octavia saltou com seus punhos brancos cerrados, seus olhos brilhando e seu corpo tremendo de raiva.

— Você me forçaria a bancar a meretriz com esse bárbaro? Exclamou ela. — Eu não vou! Não sou uma vagabunda do mercado para sorrir e cobiçar um ladrão das estepes. Eu sou filha de um senhor da Nemédia.

— Você pertencia à nobreza da Nemédia antes de meus cavaleiros a apanharem — retrucou Jehungir com cinismo. — Agora você é apenas uma escrava que fará o que eu mandar.

— Eu não vou! — ela se enfureceu.

— Pelo contrário — respondeu Jehungir com crueldade calculada —, você vai. Gosto do plano de Ghaznavi. Continue, príncipe dos conselheiros.

— Conan provavelmente vai querer comprá-la. Você se recusará a vendê-la, é claro, ou a trocá-la por prisioneiros hirkanianos. Ele pode então tentar roubá-la ou tomá-la à força – embora eu não ache que mesmo ele quebraria a trégua. De qualquer forma, devemos estar preparados para qualquer coisa que ele tente.

"Então, logo após a negociação, antes que ele tenha tempo de esquecê-la, enviaremos um mensageiro até ele, sob uma bandeira de trégua, acusando-o de roubar a garota e exigindo seu retorno. Ele pode matar o mensageiro, mas pelo menos vai pensar que ela escapou.

"Então, enviaremos um espião, um pescador yuetshi bastará, para o acampamento kozaki, que dirá a Conan que Octavia está se escondendo em Xapur. Se eu conheço o homem, ele irá direto para aquele lugar."

— Mas não sabemos se ele irá sozinho — argumentou Jehungir.

— Será que um homem leva um bando de guerreiros com ele quando vai a um encontro com a mulher que ele deseja? — retrucou Ghaznavi. — A probabilidade de ele ir sozinho é grande. Mas cuidaremos da outra possibilidade. Não o esperaremos na ilha, onde onde nós mesmos poderíamos ficar encurralados, mas entre os juncos de uma ponta pantanosa que se projeta a cerca de mil metros de Xapur. Se ele trouxer uma grande força, bateremos em retirada e pensaremos em outra trama. Se ele vier sozinho ou com um pequeno grupo, nós o receberemos. De qualquer forma, ele virá, lembrando-se dos sorrisos encantadores e olhares significativos da escrava.

— Eu nunca vou me sujeitar a tal vergonha! — Octavia estava enlouquecida de fúria e humilhação. — Eu vou morrer primeiro!

— Você não vai morrer, minha beldade rebelde — disse Jehungir —, mas será submetida a uma experiência bastante dolorosa e humilhante.

Ele bateu palmas e Octavia empalideceu. Desta vez, não foi o kushita que entrou, mas um semita, um homem altamente-musculoso de altura média com uma barba curta e encaracolada preto-azulada.

— Ela trabalha para você, Gilzan — disse Jehungir. — Pegue essa idiota e brinque com ela um pouco. No entanto, tome cuidado para não estragar sua beleza.

Com um grunhido inarticulado, o semita agarrou o pulso de Octavia e, com o aperto de seus dedos de ferro, toda a resistência da garota desapareceu. Com um grito lamentável, ela se desvencilhou e se jogou de joelhos diante de seu mestre implacável, soluçando incoerentemente por misericórdia.

Jehungir dispensou o decepcionado torturador com um gesto e disse a Ghaznavi:

— Se o seu plano der certo, vou encher seu colo de ouro.

III

Na escuridão antes do amanhecer, um som incomum perturbou a solidão que adormecia sobre os pântanos de juncos e as águas enevoadas da costa. Não era uma ave aquática sonolenta nem um animal acordado. Era um humano que lutava para caminhar entre os juncos grossos, que eram mais altos que a cabeça de um homem.

Era uma mulher, se houvesse alguém ali para ver, alta e loira, com seus esplêndidos membros moldados por sua túnica suja. Octavia escapou depois de muito esforço; cada fibra indignada de seu ser ainda formigava depois da experiência em um cativeiro que se tornara insuportável.

O domínio de Jehungir sobre ela já tinha sido ruim o suficiente; mas, com maldade deliberada, Jehungir a havia dado a um nobre cujo nome era sinônimo de degradação, mesmo em Khawarizm.

A carne resiliente de Octavia se arrepiou e estremeceu com suas lembranças. O desespero a deixou nervosa ao sair do castelo de Jelal Khan por uma corda feita de tiras de tapeçarias rasgadas, e o acaso a levou ao encontro de um cavalo atado a uma estaca. Ela cavalgara a noite toda e o amanhecer a encontrou com um corcel encalhado nas margens pantanosas do mar. Tremendo com a aversão de ser arrastada de volta ao destino revoltante planejado para ela por Jelal Khan, ela mergulhou no pântano, procurando um esconderijo da perseguição que esperava que fosse acontecer. Quando os juncos ficaram mais finos ao seu redor e a água subiu em torno de suas coxas, ela viu a sombra de uma ilha à sua frente. Havia uma grande extensão de água entre a ilha e ela, mas a garota não hesitou. Caminhou até as ondas baixas baterem em sua cintura; então atacou com força, nadando com um vigor que revelava sua resistência incomum.

Ao se aproximar da ilha, Octavia viu que ela se erguia da água em penhascos que pareciam as muralhas de um castelo. Ela finalmente os alcançou, mas não encontrou nenhuma saliência para ficar de pé acima do nível da água, nem nada para se agarrar e escalar. Continuou nadando, seguindo a curva dos penhascos, a tensão de sua longa fuga começando a pesar em seus braços. Suas mãos tremularam ao longo da pedra e de repente encontraram uma depressão. Com um suspiro de alívio, soluçando, ela saiu da água e se agarrou ali, uma deusa branca gotejante sob a luz fraca das estrelas.

Ela havia chegado ao que pareciam ser degraus esculpidos no penhasco. Ela subiu, achatando-se contra a pedra ao ouvir o estalo fraco de remos abafados. Ela forçou os olhos e pensou ter visto um vago volume movendo-se em direção ao ponto nos juncos de onde havia saído há pouco. Mas era muito longe para ela ter certeza na escuridão, e logo o som fraco cessou, e ela continuou sua escalada. Se fossem seus perseguidores, ela não conheceria melhor caminho do que se esconder na ilha. Ela sabia que a maioria das ilhas daquela costa pantanosa era desabitada. Ali poderia ser o covil de um pirata, mas mesmo os piratas seriam preferíveis à besta da qual ela escapou.

Um pensamento errante cruzou sua mente enquanto ela subia, no qual ela comparou mentalmente seu antigo mestre com o chefe kozaki com quem – por compulsão – ela tinha flertado descaradamente nos pavilhões do acampamento perto do Forte Ghori, onde os senhores hirkanianos haviam negociado com os guerreiros das estepes. Seu olhar ardente a assustou e a humilhou, mas sua ferocidade pura e primal o colocou acima de Jelal Khan, um monstro que apenas uma civilização excessivamente opulenta pode produzir.

Ela escalou a borda do penhasco e olhou timidamente para as sombras densas que a confrontavam. As árvores cresciam junto às falésias, apresentando uma massa sólida de escuridão. Algo zumbiu acima de sua cabeça e ela se encolheu, mesmo percebendo que era apenas um morcego.

Ela não gostou da aparência daquelas sombras de ébano, mas cerrou os dentes e foi em direção a elas, tentando não pensar em cobras. Seus pés descalços não faziam barulho na argila esponjosa sob as árvores. Uma vez entre eles, a escuridão se fechou assustadoramente sobre ela. Ela não tinha dado uma dúzia de passos quando não era mais capaz de olhar para trás e ver os penhascos e o mar além. Mais alguns passos e ela ficou desesperadamente confusa e perdeu o senso de direção. Através dos galhos emaranhados, nem mesmo uma estrela aparecia. Ela tateou e se debateu, cegamente, e então parou de forma repentina.

Em algum lugar à frente começou o estrondo rítmico de um tambor. Não era o som que ela esperava ouvir naquele tempo e lugar. Então ela se esqueceu do barulho, pois percebeu uma presença perto dela. Ela não podia ver, mas sabia que algo estava parado ao lado dela na escuridão.

Com um grito abafado, ela se encolheu e, ao fazê-lo, algo que, mesmo em pânico, reconheceu como um braço humano curvou-se sobre sua cintura. Ela gritou e jogou toda sua força jovem e flexível em uma investida selvagem pela liberdade, mas seu captor a pegou como uma criança, esmagando sua resistência frenética com facilidade. O silêncio com que seus apelos e protestos frenéticos foram recebidos aumentou seu terror quando ela se sentiu sendo carregada pela escuridão em direção ao tambor distante que ainda pulsava e rufava.

IV

Quando os primeiros raios do amanhecer avermelharam o mar, um pequeno barco com um ocupante solitário aproximou-se das falésias. O homem no barco era uma figura pitoresca. Um lenço carmesim estava amarrado em sua cabeça; suas calças largas de seda, de cor flamejante, eram sustentadas por uma faixa larga que também sustentava uma cimitarra em uma bainha felpuda. Suas botas de couro dourado sugeriam mais o cavaleiro do que o marinheiro, mas ele manejava o barco com habilidade. Através de sua camisa de seda branca, amplamente aberta, mostrava seu peito largo e musculoso, queimado de bronze pelo sol.

Os músculos de seus pesados braços bronzeados ondulavam enquanto ele puxava os remos com uma facilidade de movimento quase felina. Uma vitalidade feroz que era evidente em cada característica e movimento o distinguia dos homens comuns; no entanto, sua expressão não era selvagem nem sombria, embora os ardentes olhos azuis sugerissem ferocidade facilmente despertada. Este era Conan, que vagara para os campos armados dos kozakis sem nenhuma outra posse além de sua inteligência e sua espada, e que abriu seu caminho para a liderança entre eles.

Ele remou até a escadaria esculpida como alguém familiarizado com seus arredores, e atracou o barco a uma projeção da rocha. Em seguida, subiu os degraus desgastados sem hesitação. Estava extremamente alerta, não porque suspeitasse conscientemente de um perigo oculto, mas porque o estado de alerta fazia parte dele, estimulado pela existência selvagem que seguia. O que Ghaznavi considerava intuição animal ou algum sexto sentido eram meramente as faculdades afiadas e a inteligência selvagem do bárbaro. Conan não tinha instinto para alertá-lo de que homens o observavam de um esconderijo entre os juncos do continente.

Enquanto subia o penhasco, um desses homens respirou fundo e furtivamente ergueu um arco. Jehungir segurou seu pulso e sibilou uma praga em seu ouvido.

— Idiota! Você vai nos trair? Você não percebe que ele está fora de alcance? Deixe-o chegar à ilha. Ele vai procurar a garota. Ficaremos aqui um pouco. Ele pode ter sentido nossa presença ou adivinhado nosso plano. Ele pode ter guerreiros escondidos em algum lugar. Nós iremos esperar. Em uma hora, se nada de suspeito ocorrer, remaremos até o pé da escada e esperamos por ele ali. Se ele não retornar em um tempo razoável, alguns de nós irão até a ilha e o caçarão. Mas não desejo fazer isso se puder ser evitado. Alguns de nós certamente morrerão se tivermos de ir para o mato atrás dele. Prefiro pegá-lo descendo a escada, onde podemos crivá-lo com flechas de uma distância segura.

Enquanto isso, o desavisado kozaki havia mergulhado na floresta. Ele caminhou silenciosamente com suas botas de couro macio, seu olhar examinando cada sombra na ânsia de avistar a esplêndida beleza de cabelos claros com quem ele tinha sonhado desde que a vira no pavilhão de Jehungir Agha perto do Forte Ghori. Ele a teria desejado mesmo que ela tivesse demonstrado repugnância por ele. Mas seus sorrisos e olhares enigmáticos o haviam incendiado, e com toda a violência sem lei que era sua herança ele desejou aquela mulher de pele branca e cabelos dourados.

O DEMÔNIO DE FERRO

Ele já tinha estado em Xapur antes. Há menos de um mês, ele realizara um conclave secreto aqui com uma tripulação pirata. Sabia que estava se aproximando de um ponto onde poderia ver as misteriosas ruínas que davam o nome à ilha, e se perguntou se encontraria a garota escondida entre elas. Em meio a esse pensamento, ele parou como se tivesse sido atingido por um golpe mortal.

À sua frente, entre as árvores, erguia-se algo que sua razão lhe dizia que não era possível. Era uma grande muralha verde-escura, com torres se erguendo além das ameias.

Conan ficou paralisado pelo abalo das faculdades mentais que desmoraliza qualquer um que é confrontado por algo que nega a sanidade de forma impossível. Ele não duvidou de sua visão nem de sua razão, mas algo estava monstruosamente fora do lugar. Menos de um mês atrás, apenas ruínas quebradas apareciam entre as árvores. Que mãos humanas poderiam erguer uma pilha tão gigantesca como agora encontrava seus olhos, nas poucas semanas que se passaram? Além disso, os piratas que vagavam incessantemente por Vilayet teriam sabido de qualquer trabalho em andamento em uma escala tão estupenda e teriam informado os kozakis.

Não havia como explicar isso, mas era verdade. Ele estava em Xapur e aquele monte fantástico de alvenaria imponente estava em Xapur, e tudo era loucura e paradoxo; no entanto, era tudo verdade.

Ele virou para descer correndo pela selva, desceu a escada esculpida e atravessou as águas azuis até o acampamento distante na foz do Zaporoska. Naquele momento de pânico irracional, até a ideia de parar tão perto do mar interno era repugnante. Ele o deixaria para trás, abandonaria os campos armados e as estepes e se colocaria a mil e quinhentos quilômetros de distância daquele misterioso oriente azul, onde as leis mais básicas da natureza poderiam ser burladas com um diabolismo que ele não conseguia imaginar.

Por um instante, o futuro destino dos reinos que dependiam desse bárbaro vestido com roupas leves ficou em jogo. Foi uma coisa pequena que desequilibrou a balança, apenas um pedaço de seda pendurado em um arbusto que chamou sua atenção. Ele se inclinou para ele, suas narinas se expandindo, seus nervos tremendo com um estimulante sutil. Naquele pedaço de pano, tão fraco que era menos por suas faculdades físicas do que por algum obscuro sentido instintivo que ele reconheceu, permaneceu o perfume tentador que ele conectou com a carne firme e doce da mulher que ele tinha visto no pavilhão de Jehungir. O pescador não mentiu, então; ela estava ali! Então, no solo, ele viu um único rastro de um pé descalço, longo e esguio, mas de um homem, não de uma mulher, e afundado mais fortemente do que o natural. A conclusão era óbvia; o homem que fez aquela trilha carregava um fardo, e o que deveria ser senão a garota que o kozaki estava procurando?

Ele ficou em silêncio encarando as torres escuras que assomavam entre as árvores, seus olhos como fendas azuis de fogo. O desejo pela mulher de cabelo amarelo competia com uma raiva primordial taciturna de quem quer que a tivesse levado. Sua paixão humana lutou contra seus medos ultra-humanos e, agachando-se como uma pantera caçadora, ele deslizou em direção às paredes, aproveitando a densa folhagem para escapar da detecção das ameias.

Ao se aproximar, viu que as paredes eram compostas da mesma pedra verde que formara as ruínas e foi assombrado por uma vaga sensação de familiaridade. Era como se ele olhasse para algo que nunca tivesse visto antes, mas tivesse sonhado ou imaginado. Por fim, ele reconheceu a sensação. As muralhas e torres seguiram o plano das ruínas. Era como se as construções em ruínas tivessem voltado às estruturas que tinham originalmente.

Nenhum som perturbou o silêncio matinal enquanto Conan se esgueirava até o pé da parede que se erguia completamente da vegetação luxuriante. No extremo sul do mar interior, a vegetação era quase tropical. Ele não viu ninguém nas ameias, não ouviu nenhum som lá dentro. Viu um portão enorme a uma curta distância à sua esquerda, e não teve nenhuma razão para supor que não estivesse trancado e vigiado. Mas ele acreditava que a mulher que procurava estava em algum lugar além daquela parede, e o curso que ele tomou foi caracteristicamente imprudente.

Acima dele, galhos enfeitados com videiras se estendiam em direção às ameias. Ele subiu em uma grande árvore como um gato e, chegando a um ponto acima do parapeito, agarrou um galho grosso com as duas mãos, balançou para frente e para trás com o braço estendido até ganhar impulso, e então o soltou e se catapultou no ar, pousando como um gato nas ameias. Agachado ali, ele olhou para as ruas de uma cidade.

A circunferência da parede não era grande, mas o número de edifícios de pedra verde que continha era surpreendente. Eles tinham três ou quatro andares de altura, principalmente com telhado plano, refletindo um estilo arquitetônico refinado. As ruas convergiam como raios de uma roda em um pátio em forma de octógono no centro da cidade que dava para um edifício elevado, que, com suas cúpulas e torres, dominava toda a cidade. Ele não viu ninguém se movendo nas ruas ou olhando pelas janelas, embora o sol já estivesse nascendo. O silêncio que ali reinou pode ter sido o de uma cidade morta e deserta. Havia uma estreita escadaria de pedra junto à muralha; por ali ele desceu.

As casas estavam tão próximas à parede que a meio caminho da escada ele se viu a um braço de distância de uma janela e parou para espiar. Não havia grades e as cortinas de seda estavam presas por cordões de cetim. Ele olhou para uma câmara cujas paredes estavam escondidas por tapeçarias de veludo escuro. O chão era vermelho-escuro com tapetes grossos, bancos de ébano polido e um estrado de marfim cheio de peles.

Estava prestes a continuar sua descida, quando ouviu o som de alguém se aproximando na rua abaixo. Antes que a pessoa desconhecida pudesse contornar uma esquina e vê-lo na escada, ele cruzou com um salto rápido o espaço que o separava da janela e pousou levemente dentro do cômodo, desembainhando a cimitarra.

Ficou parado por um instante como uma estátua; então, como nada acontecia, ele se moveu pelos tapetes em direção a uma porta em arco quando uma cortina foi puxada para o lado, revelando uma alcova almofadada da qual uma garota esguia de cabelos escuros o olhava com olhos lânguidos.

Conan olhou para ela tenso, esperando que ela começasse a gritar. Mas ela apenas sufocou um bocejo com uma mão delicada, saindo da alcova e encostando-se negligentemente na cortina que segurava com uma das mãos.

Ela era, sem dúvida, um membro de uma raça branca, embora sua pele fosse bastante morena. Seu cabelo de corte reto era preto como a meia-noite, sua única vestimenta um fio de seda sobre os quadris altos.

Logo ela falou, mas a língua não era familiar para ele, e ele balançou a cabeça. Ela bocejou novamente, espreguiçou-se agilmente e, sem qualquer demonstração de medo ou surpresa, mudou para uma língua que ele entendia, um dialeto de Yuetshi que soava estranhamente arcaico.

— Você está procurando por alguém? — perguntou ela, tão indiferente como se a invasão de seu quarto por um estranho armado fosse a coisa mais comum que se possa imaginar.

— Quem é você? — perguntou ele.

— Eu sou Yateli — respondeu ela languidamente. — Devo ter festejado até tarde na noite passada, estou com tanto sono agora. Quem é você?

— Eu sou Conan, líder dos kozakis — respondeu ele, observando-a atentamente.

Ele acreditava que a atitude dela era uma farsa, e esperava que ela tentasse escapar da câmara ou despertar a casa. Mas, embora uma corda de veludo que poderia ser um cabo de sinal estivesse pendurada perto dela, ela não a alcançou.

— Conan — repetiu ela sonolenta. — Você não é dagoniano. Suponho que você seja um mercenário. Você cortou as cabeças de muitos Yuetshis?

— Eu não luto contra ratos d'água! — bufou ele.

— Mas eles são terríveis — murmurou ela. — Lembro-me de quando eles eram nossos escravos. Mas eles se revoltaram, queimaram e mataram. Apenas a magia de Khosatral Khel os manteve longe das muralhas... — ela fez uma pausa, um olhar perplexo lutava com a sonolência de sua expressão. — Esqueci — murmurou ela. — Eles escalaram as muralhas ontem à noite. Houve gritos e fogo, e pessoas invocando em vão Khosatral.

Ela balançou a cabeça como se quisesse clareá-la.

— Mas não pode ser — murmurou ela — porque estou viva e pensei que estava morta. Ah, deixa isso para lá!

Ela cruzou a câmara e, pegando a mão de Conan, puxou-o para o estrado. Ele cedeu em perplexidade e incerteza. A garota sorriu para ele como uma criança sonolenta; seus longos cílios sedosos caíram sobre os olhos turvos e nublados. Ela correu os dedos por suas grossas mechas negras como se quisesse se assegurar de sua realidade.

— Foi um sonho — ela bocejou. — Talvez seja tudo um sonho. Eu me sinto como se estivesse em um sonho agora. Eu não me importo. Não consigo me lembrar de algo... esqueci... há algo que não consigo entender, mas fico com tanto sono quando tento pensar. De qualquer forma, não importa.

— O que você quer dizer com isso? — perguntou ele inquieto. — Você disse que eles escalaram as paredes ontem à noite? Quem?

— Os Yuetshis. Pelo menos foi o que eu pensei. Uma nuvem de fumaça escondeu tudo, mas um demônio nu e manchado de sangue me pegou pela garganta e enfiou a faca em meu peito. Ah, doeu! Mas foi um sonho, porque veja, não há cicatriz.

Ela preguiçosamente inspecionou seu busto liso, e então afundou no colo de Conan e passou seus braços flexíveis ao redor de seu pescoço enorme.

— Não consigo me lembrar — murmurou ela, aninhando a cabeça escura em seu peito poderoso. — Tudo está escuro e enevoado. Isso não importa. Você não é um sonho. Você é forte. Vamos viver enquanto podemos. Me ame!

Ele embalou a cabeça lustrosa da garota na curva de seu braço pesado e beijou seus lábios carnudos e vermelhos com prazer sincero.

— Você é forte — repetiu ela, com a voz falhando. — Ame-me... amor...

O murmúrio sonolento se dissipou; os olhos escuros se fecharam, os longos cílios caindo sobre as bochechas sensuais; o corpo flexível relaxou nos braços de Conan.

Ele franziu a testa para ela. Ela parecia participar da ilusão que assombrava toda a cidade, mas a resistência firme de seus membros sob seus dedos indagadores o convenceu de que ele tinha uma garota humana viva em seus braços, e não a sombra de um sonho. Não menos perturbado, ele a deitou apressadamente nas peles sobre o estrado. Seu sono era muito profundo para ser natural. Ele concluiu que ela devia ser viciada em alguma droga, talvez como a lótus negra de Xuthal.

Então ele encontrou outra coisa que o fez pensar. Entre as peles do estrado havia uma linda pele manchada, cujo tom predominante era dourado. Não era uma cópia inteligente, mas a pele de uma fera real. E aquela fera, Conan sabia, estava extinta há pelo menos mil anos; era o grande leopardo dourado que figura tão predominantemente na lenda hiboriana e que os antigos artistas adoravam retratar em pigmentos e mármore.

Balançando a cabeça em perplexidade, Conan passou pela arcada e entrou em um corredor sinuoso. O silêncio pairou sobre a casa, mas do lado de fora ele ouviu um som que seus ouvidos atentos reconheceram como algo subindo a escada na parede pela qual ele havia entrado no edifício. Um instante depois, ele se assustou ao ouvir algo pousar com um baque suave, mas forte, no chão da câmara da qual ele acabara de sair. Afastando-se rapidamente, ele se apressou ao longo do corredor tortuoso até que algo no chão diante dele o fez parar.

Era uma figura humana, que estava metade no corredor e metade em uma abertura que obviamente costumava ser ocultada por uma porta que era idêntica aos painéis da parede. Era um homem, moreno e magro, vestido apenas com uma tanga de seda, com a cabeça raspada e feições cruéis, e ele estava deitado como se a morte o tivesse atingido no momento em que ele emergia do painel. Conan se curvou sobre ele, procurando a causa de sua morte, e descobriu que ele estava meramente mergulhado no mesmo sono profundo que a garota na câmara.

Mas por que ele escolheria um lugar assim para seus cochilos? Enquanto meditava sobre o assunto, Conan foi surpreendido por um som atrás dele. Algo estava se movendo pelo corredor em sua direção. Uma rápida olhada para frente mostrou que ele terminava em uma grande porta que poderia ser trancada. Conan puxou o corpo para dentro do painel e fechou-se lá dentro. Um clique revelou a ele que estava travado. Parado na escuridão total, ele ouviu passos arrastados parando do lado de fora da porta, e um leve calafrio percorreu sua espinha. Aquilo não foi um passo humano, nem de qualquer fera que ele já encontrara.

Houve um instante de silêncio, depois um leve rangido de madeira e metal. Estendendo a mão, ele sentiu a porta sendo forçada e se curvar para dentro, como se um grande peso estivesse sendo continuamente empurrado contra ela do lado de fora.

Quando estendeu a mão para pegar sua espada, isso parou e ele ouviu um estranho murmúrio que arrepiou os cabelos curtos de seu couro cabeludo. Com a cimitarra na mão, ele começou a recuar, e seus calcanhares tocaram degraus, dos quais ele quase caiu. Ele estava em uma escada estreita que descia.

Tateou seu caminho na escuridão, procurando outra abertura na parede, mas não encontrou. Assim que ele percebeu que não estava mais na casa, mas nas profundezas da terra embaixo dela, os degraus acabaram em um túnel plano.

V

Ao longo do túnel escuro e silencioso, Conan tateou, momentaneamente temendo uma queda em algum poço invisível; mas por fim seus pés bateram de novo nos degraus, e ele os subiu até chegar a uma porta na qual seus dedos atrapalhados encontraram uma trava de metal. Ele saiu para uma sala escura e elevada de enormes proporções. Colunas fantásticas se enfileiravam ao redor das paredes mosqueadas, sustentando um teto que, ao mesmo tempo translúcido e escuro, parecia um céu nublado da meia-noite, dando uma ilusão de altura impossível. Se alguma luz de fora era filtrada para o interior, estava curiosamente alterada.

Em um crepúsculo lúgubre, Conan moveu-se pelo chão verde e liso. A grande sala era circular, aberta de um lado pelos grandes caixilhos de bronze de uma porta gigante. No lado oposto a ela, em um estrado encostado na parede, que contava com amplos degraus curvos, havia um trono de cobre, e quando Conan viu o que estava enrolado neste trono, recuou apressadamente, erguendo sua cimitarra.

Então, como a coisa não se moveu, ele examinou-a mais de perto, e logo subiu os degraus de vidro e olhou para ela. Era uma cobra gigantesca, aparentemente esculpida em alguma substância semelhante a jade. Cada escama se destacava tão distintamente quanto na vida real, e as cores iridescentes foram reproduzidas vividamente. A grande cabeça em forma de cunha estava meio submersa nas dobras de seu tronco; portanto, nem os olhos nem as mandíbulas eram visíveis. O reconhecimento se agitou em sua mente. Evidentemente, essa cobra pretendia representar um daqueles monstros sombrios do pântano que, em eras passadas, assombrava as regiões juncosas da costa sul de Vilayet. Mas, como o leopardo dourado, estavam extintos há centenas de anos. Conan vira imagens rusticamente entalhadas deles, em miniatura, entre as cabanas dos Yuetshis, e havia uma descrição deles no Livro de Skelos, que se baseava em fontes pré-históricas.

Conan admirou o torso escamoso, grosso como sua coxa e obviamente de grande comprimento, e estendeu e colocou uma mão curiosa sobre a coisa. Ao fazer isso, seu coração quase parou. Um calafrio congelou o sangue em suas veias e levantou o cabelo curto de seu couro cabeludo. Sob sua mão não havia a superfície lisa e quebradiça de vidro, metal ou pedra, mas a massa fibrosa e maleável de uma coisa viva. Ele sentiu a vida fria e lenta fluindo sob seus dedos.

Sua mão se sacudiu com repulsa instintiva. Espada tremendo em suas mãos, horror, repulsa e medo quase o sufocando, ele recuou e desceu os degraus de vidro com doloroso cuidado, olhando com terrível fascinação para a coisa horrível que dormia no trono de cobre. Ela não se moveu.

Ele alcançou a porta de bronze e tentou, com o coração na boca, suando de medo de se encontrar trancado com aquele horror viscoso. Mas as dobradiças cederam ao seu toque e ele deslizou e fechou a porta depois que saiu.

Ele se viu em um amplo corredor com altas paredes forradas de tapeçaria, onde a iluminação era a mesma escuridão do crepúsculo. Tornava os objetos distantes indistintos e isso o deixava inquieto, despertando pensamentos de serpentes deslizando sem serem vistas na escuridão. Uma porta do outro lado parecia a quilômetros de distância na luz ilusória. Mais perto, a tapeçaria estava pendurada de modo a sugerir uma abertura atrás dela e, erguendo-a com cuidado, descobriu uma escada estreita que conduzia para cima.

Enquanto hesitava, ouviu na grande sala que acabara de sair, os mesmos passos arrastados que ouvira do lado de fora do painel trancado. Ele tinha sido seguido através do túnel? Subiu a escada apressadamente, deixando cair a tapeçaria no lugar atrás dele.

Emergindo agora em um corredor tortuoso, entrou pela primeira porta que encontrou. Tinha um propósito duplo em sua perambulação aparentemente sem rumo: escapar do prédio e de seus mistérios e encontrar a garota nemediana que, ele sentia, estava aprisionada em algum lugar deste palácio, templo ou o que quer que isso fosse. Ele acreditava que era o grande edifício omitido no centro da cidade, e era provável que ali morasse o governante da cidade, a quem uma mulher cativa sem dúvida seria levada.

Ele se viu em uma câmara, não em outro corredor, e estava prestes a refazer seus passos quando ouviu uma voz que veio de trás de uma das paredes. Não havia porta naquela parede, mas ele se inclinou e ouviu claramente. E um arrepio gelado rastejou lentamente ao longo de sua espinha. O idioma era nemediano, mas a voz não era humana. Havia uma ressonância aterrorizante nisso, como um sino tocando à meia-noite.

— Não havia vida no Abismo, exceto aquela que foi incorporada em mim — disse a voz. — Também não havia luz, nem movimento, nem som. Apenas a ânsia por viver e pelo que existe além da vida me guiou e impeliu em minha jornada ascendente,

O DEMÔNIO DE FERRO

cega, insensata, inexorável. Através de inúmeras eras e os extratos imutáveis das trevas, eu escalei...

Enfeitiçado por aquela ressonância sinistra, Conan agachou-se, esquecendo de tudo o mais, até que seu poder hipnótico causou uma estranha substituição de faculdades e percepção, e o som criou a ilusão da visão. Conan não estava mais ciente da voz, exceto como ondas rítmicas distantes de som. Transportado por sua idade e sua própria individualidade, ele estava vendo a transmutação do ser homem chamado Khosatral Khel que rastejou da Noite e do Abismo há séculos para se revestir da substância do universo material.

Mas a carne humana era muito frágil, muito insignificante para conter a essência incrível que era Khosatral Khel. Então ele se levantou na forma e aspecto de um homem, mas sua carne não era carne, nem osso, osso, nem sangue, sangue. Ele se tornou uma blasfêmia contra toda a natureza, pois fez viver, pensar e agir uma substância básica que antes nunca tinha conhecido o pulso e a agitação do ser animado.

Ele se espreitava pelo mundo como um deus, pois nenhuma arma terrestre poderia feri-lo, e para ele um século era como uma hora. Em suas andanças, ele encontrou um povo primitivo que habitava a ilha de Dagônia, e lhe agradou dar cultura e civilização a essa raça, e com sua ajuda eles construíram a cidade de Dagon e ali moraram e o adoraram. Estranhos e terríveis eram seus servos, chamados dos cantos escuros do planeta onde sombrios sobreviventes de eras esquecidas ainda se encontravam. Sua casa em Dagon era conectada com todas as outras casas por túneis através dos quais seus sacerdotes de cabeça raspada levavam as vítimas para o sacrifício.

Mas depois de muitas eras, um povo feroz e brutal apareceu nas margens do mar. Eles se autodenominavam Yuetshi e, após uma batalha feroz, foram derrotados e escravizados e, por quase uma geração, morreram nos altares de Khosatral.

Sua feitiçaria os mantinha presos. Então o sacerdote deles, um homem estranho e magro de raça desconhecida, mergulhou no deserto e, quando voltou, carregava um punhal que não tinha substância terrestre. Foi forjado a partir de um meteoro que atravessou o céu como uma flecha flamejante e caiu em um vale distante. Os escravos se levantaram. Suas serrilhadas lâminas em formato de crescente cortaram os homens de Dagon como ovelhas, e contra aquela faca sobrenatural a magia de Khosatral era impotente. Enquanto a carnificina e o massacre rugiam através da fumaça vermelha que sufocava as ruas, o ato mais sinistro daquele drama sombrio era representado na cúpula secreta atrás da grande câmara com o estrado, com seu trono de cobre e suas paredes manchadas como a pele de serpentes.

Dessa cúpula o sacerdote Yuetshi saiu sozinho. Ele não havia matado seu inimigo, porque desejava manter a ameaça de sua liberação sobre as cabeças de seus próprios súditos rebeldes. Ele havia deixado Khosatral deitado no estrado de ouro com a faca mística em seu peito como um feitiço para mantê-lo inconsciente e inanimado até o dia do juízo final.

Mas as eras passaram e o sacerdote morreu, as torres da Dagon abandonada desmoronaram, as histórias tornaram-se obscuras e os Yuetshi foram reduzidos por pragas e fomes e guerra a restos dispersos, habitando na miséria ao longo da costa.

Apenas a cúpula enigmática resistiu ao apodrecimento do tempo, até que um raio fortuito e a curiosidade de um pescador ergueram do peito do deus a faca mágica e quebraram o feitiço. Khosatral Khel se levantou, viveu e se tornou poderoso mais uma vez. Agradou-lhe restaurar a cidade como estava nos dias antes de sua queda. Por sua necromancia, ele ergueu as torres da poeira de milênios esquecidos, e o povo que tinha se tornado pó havia séculos moveu-se em vida novamente.

Mas as pessoas que experimentaram a morte estão parcialmente vivas. Nos cantos escuros de suas almas e mentes, a morte ainda se esconde invicta. À noite, o povo de Dagon se movia e amava, odiava e festejava, e lembrava-se da queda de Dagon e de sua própria matança apenas como um sonho obscuro; eles se moviam em uma névoa encantada de ilusão, sentindo a estranheza de sua existência, mas sem indagar as razões disso. Com a chegada do dia, eles mergulhavam em um sono profundo, para serem novamente despertados apenas pela chegada da noite, o qual é semelhante à morte.

Tudo isso aconteceu em um panorama terrível diante da consciência de Conan enquanto ele se agachava ao lado da parede forrada de tapeçaria. Sua razão vacilou. Toda certeza e sanidade foram varridas, deixando um universo sombrio através do qual roubou figuras encapuzadas de potencialidades terríveis. Em meio à voz profunda que o bombardeava, que soava como um triunfo sobre as leis da ordem de um planeta são, um som humano deteve o voo que a mente de Conan empreendia pelas esferas da loucura. Era o choro histérico de uma mulher.

Involuntariamente, ele se levantou.

VI

Jehungir Agha esperava com impaciência cada vez maior em seu barco entre os juncos. Mais de uma hora se passou e Conan não reaparecera. Sem dúvida, ele ainda estava procurando na ilha a garota que pensava estar escondida lá. Mas outra suposição ocorreu a Agha. Imagine se o líder tivesse deixado seus guerreiros por perto, e eles ficassem desconfiados e viessem investigar sua longa ausência. Jehungir falou com os remadores, e o barco comprido escorregou por entre os juncos e deslizou em direção às escadas esculpidas.

Deixando meia dúzia de homens no barco, ele levou o resto, dez poderosos arqueiros de Khawarizm, trajando capacetes pontiagudos e mantos de pele de tigre. Como caçadores invadindo a retirada do leão, eles avançaram furtivamente sob as árvores, flechas em prontidão. O silêncio reinava sobre a floresta, exceto quando uma grande coisa verde que poderia ter sido um papagaio girou sobre suas cabeças com um estrondo baixo de asas largas, e então disparou por entre as árvores. Com um gesto repentino, Jehungir deteve seu grupo, e eles olharam incrédulos para as torres que apareciam ao longe entre a mata.

— Tarim! — murmurou Jehungir. — Os piratas reconstruíram as ruínas! Sem dúvida, Conan está lá. Devemos investigar isso. Uma cidade fortificada tão perto do continente!

Com cautela renovada, eles deslizaram por entre as árvores. O jogo mudou; de perseguidores e caçadores, eles se tornaram espiões.

E à medida que se arrastavam pela vegetação emaranhada, o homem que procuravam corria um perigo mais mortal do que suas flechas ornamentadas.

Conan percebeu, com um arrepio na pele, que do outro lado da parede a voz estridente havia cessado. Ele ficou imóvel como uma estátua, seu olhar fixo em uma porta cortinada através da qual ele sabia que um horror culminante iria aparecer em breve.

Estava escuro e enevoado na câmara, e o cabelo de Conan começou a se arrepiar enquanto ele olhava. Ele viu uma cabeça e um par de ombros gigantescos crescerem na escuridão do crepúsculo. Não houve som de passos, mas a grande forma escura ficou mais nítida até que Conan reconheceu a silhueta de um homem. Ele estava vestido com sandálias, uma saia e um largo cinturão de couro. Sua melena de corte reto estava presa por um anel de ouro. Conan olhou para a largura dos ombros monstruosos, o

O DEMÔNIO DE FERRO

tamanho do peitoral, o agrupamento de músculos no torso e nos membros. O rosto era despido de fraqueza e sem misericórdia. Os olhos eram bolas de fogo escuro. E Conan sabia que aquele era Khosatral Khel, o ancião do Abismo, o deus da Dagônia. Nenhuma palavra foi dita. Nenhuma palavra foi necessária. Khosatral abriu seus grandes braços e Conan, passando por baixo deles, tentou cortar a barriga do gigante. Ele saltou para trás, os olhos brilhando de surpresa. A lâmina afiada tocou o corpo poderoso como uma bigorna, ricocheteando sem cortar. Então, Khosatral avançou sobre ele com um ímpeto esmagador.

Houve uma concussão fugaz, uma violenta contorção e entrelaçamento de membros e corpos, e então Conan saltou para longe, cada um de seus músculos estremecendo com a violência de seus esforços; o sangue escorria de onde os dedos arranharam sua pele. Naquele instante de contato, ele experimentou a última loucura da natureza blasfema de seu adversário; não fora carne humana que machucara seu corpo, mas metal animado e senciente; era um corpo de ferro vivo que se opunha ao seu.

Khosatral se agigantava sobre o guerreiro na escuridão. Uma vez que aqueles dedos poderosos se fechassem, não se abririam até que o corpo humano ficasse inerte em suas mãos. Naquela câmara crepuscular, era como se um homem lutasse com um monstro saído de um pesadelo.

Atirando a espada inútil para o lado, Conan agarrou um banco pesado e o arremessou com toda sua força. Era um míssil que poucos homens conseguiam erguer. No peito poderoso de Khosatral, ele explodiu em pedaços e lascas. Nem mesmo sacudiu o gigante apoiado em suas pernas. Seu rosto perdeu parte de seu aspecto humano, uma nuvem de fogo pairou sobre sua impressionante cabeça e ele, como uma torre em movimento, avançou.

Com um puxão desesperado, Conan arrancou um pedaço inteiro da tapeçaria da parede e girou-o, com um esforço muscular maior do que o necessário para jogar o banco, atirou-o sobre a cabeça do gigante. Por um instante, Khosatral se debateu, sufocado e cego pelo material aderente que resistia à sua força como a madeira ou aço não poderiam ter resistido, e nesse instante Conan pegou sua cimitarra e disparou para o corredor. Sem diminuir a velocidade, ele se atirou pela porta da câmara contígua, fechou a porta e disparou o ferrolho.

Então, ao se virar, ele parou de repente, todo o sangue nele parecendo subir à cabeça. Agachada sobre uma pilha de almofadas de seda, o cabelo dourado caindo sobre seus ombros nus, os olhos vazios de terror, estava a mulher por quem ele tanto arriscara. Ele quase esqueceu o horror que o perseguia até que um choque devastador atrás dele o trouxe de volta a si. Pegou a garota e saltou para a porta oposta. Ela estava aterrorizada demais, entregue ao medo para resistir ou ajudá-lo. Um leve gemido foi o único som que ela pareceu capaz de emitir.

Conan não perdeu tempo tentando abrir a porta. Um golpe violento de sua cimitarra quebrou a fechadura e, quando ele saltou para a escada que se erguia além dela, viu a cabeça e os ombros de Khosatral se chocarem contra a outra porta. O colosso estava estilhaçando os painéis maciços como se fossem de papelão.

Conan subiu correndo a escada, carregando a mulher sobre um ombro tão facilmente como se ela fosse uma criança. Para onde estava indo, ele não tinha ideia, mas a escada terminava na porta de uma câmara redonda e abobadada. Khosatral estava subindo a escada atrás deles, silenciosamente como um vento da morte, e com a mesma rapidez.

As paredes da câmara eram de aço sólido, assim como a porta. Conan a fechou e colocou no lugar as grandes barras que a guarneciam. Pensou que ali era o aposento de Khosatral, onde ele se trancava para dormir em segurança, longe dos monstros que havia soltado do Abismo para cumprir suas ordens.

Os ferrolhos mal estavam no lugar quando a grande porta balançou e estremeceu com o ataque do gigante. Conan encolheu os ombros. Aquele era o fim da trilha. Não havia outra porta na câmara, nem janela. O ar e a estranha luz enevoada, evidentemente, vinham das reentrâncias na cúpula. Ele testou a ponta de níquel de sua cimitarra, bastante tranquilo agora que estava encurralado. Fizera o possível para escapar; quando o gigante derrubasse aquela porta, ele explodiria em outro ataque inútil com sua espada, não porque ele esperava que aquilo surtisse algum efeito, mas porque era sua natureza morrer lutando. No momento, não havia nenhum plano de ação a tomar, e sua calma não era forçada ou fingida.

O olhar que dirigiu a sua bela companheira era de intensa admiração, como se ainda tivesse cem anos para viver. Ele a jogou sem cerimônia no chão quando se virou para fechar a porta, e ela se ajoelhou, arrumando mecanicamente seus cachos esvoaçantes e sua vestimenta escassa. Os olhos ferozes de Conan brilharam com aprovação enquanto devoravam seus espessos cabelos dourados, seus olhos límpidos e grandes, sua pele leitosa, lustrosa com saúde exuberante, seus seios fartos e firmes, o contorno de seus esplêndidos quadris.

Um grito baixo escapou dela quando a porta balançou e um ferrolho cedeu com um rangido.

Conan não olhou em volta. Ele sabia que a porta aguentaria mais um pouco.

— Me disseram que você tinha escapado — disse ele. — Um pescador Yuetshi me disse que você estava se escondendo aqui. Qual é o seu nome?

— Octavia — respondeu ela mecanicamente.

Então as palavras vieram apressadas. Ela o agarrou com dedos desesperados.

— Ah, por Mitra! Que pesadelo é esse? As pessoas... as pessoas de pele escura... uma delas me pegou na floresta e me trouxe para cá. Eles me trouxeram para... para aquilo... para aquela coisa. Ele me disse... ele disse... estou louca? Isso é um pesadelo?

Ele olhou para a porta que se projetava para dentro como se tivesse sido atingida pelo impacto de um aríete.

— Não — disse ele —, não é um pesadelo. Essa dobradiça está cedendo. Estranho que um demônio tenha que arrombar uma porta como um homem comum; mas, afinal, sua própria força é um diabolismo.

— Você não consegue matá-lo? — ofegou ela. — Você é forte.

Conan era muito honesto para mentir.

— Se um mortal pudesse matá-lo, ele já estaria morto — respondeu ele. — Quebrei minha lâmina na barriga dele.

Os olhos dela escureceram.

— Então você vai morrer e eu vou... Ó, Mitra! — gritou ela em súbito frenesi, e Conan pegou suas mãos, pois ela ia acabar se machucando. — Ele me disse o que ia fazer comigo! — ofegou ela. —Mate-me! Mate-me com sua espada antes que ele arrebente a porta!

Conan olhou para ela e balançou a cabeça.

— Farei o que puder — disse ele. — Não vai ser muito, mas vai dar a você a chance de passar por ele descendo a escada. Em seguida, corra para os penhascos. Meu barco está amarrado ao pé da escada. Se você conseguir sair do palácio, ainda poderá escapar dele. Todas as pessoas desta cidade estão dormindo.

Ela abaixou a cabeça entre as mãos. Conan pegou sua cimitarra e se aproximou da porta que ecoava. Se alguém o observasse, teria percebido que esperava uma morte que considerava inevitável. Seus olhos ardiam mais vividamente; sua mão musculosa segurou o cabo com mais força; isso era tudo.

As dobradiças cederam com o terrível ataque do gigante e a porta balançou loucamente, presa apenas pelos ferrolhos. As sólidas barras de aço dobravam-se, projetando-se para fora de seus encaixes. Conan assistia com uma fascinação quase impessoal, invejando do monstro sua força desumana.

Então, sem aviso, o bombardeio cessou. No silêncio, Conan ouviu outros ruídos no patamar do lado de fora, o bater de asas e uma voz murmurante que parecia o gemido do vento soprando os galhos das árvores à meia-noite. Então logo fez-se silêncio, e havia uma nova sensação no ar. Apenas os instintos aguçados do bárbaro poderiam ter percebido, mas Conan sabia, sem vê-lo ou ouvi-lo partir, que o mestre de Dagon não estava mais do lado de fora da porta.

Ele olhou através de uma fenda que havia sido aberta no aço do portal. O patamar estava vazio. Ele puxou os ferrolhos empenados e abriu cautelosamente a porta pendurada. Khosatral não estava na escada, mas bem abaixo ouviu o barulho de uma porta de metal. Ele não sabia se o gigante tramava novas diabruras ou fora convocado por aquela voz murmurante, mas não perdeu tempo em conjecturas.

Chamou Octavia, e a nova nota em sua voz a colocou de pé e ao lado dele quase inconscientemente.

— O que foi? — perguntou ela.

— Não temos tempo para conversar! — Ele segurou seu pulso. — Vamos!

A chance de ação o havia transformado; seus olhos brilhavam, sua voz estalava.

— A faca! — murmurou ele, enquanto quase arrastava a garota escada abaixo em sua pressa feroz. — A lâmina mágica Yuetshi! Ele deixou na cúpula! Eu... — ele parou de falar repentinamente quando uma imagem mental clara surgiu diante dele.

A cúpula era contígua à grande sala onde ficava o trono de cobre – o suor começou a escorrer em seu corpo. O único caminho para aquela cúpula era através daquela sala com seu trono de cobre e a coisa imunda que dormia nele.

Mas não hesitou. Desceram rapidamente a escada, cruzaram a câmara, desceram a escada seguinte e entraram no grande saguão escuro com suas cortinas misteriosas. Não viram nenhum sinal do colosso. Parando diante da grande porta com batentes de bronze, Conan pegou Octavia pelos ombros e a sacudiu com intensidade.

— Ouça! — disse ele. — Vou entrar naquele quarto e trancar a porta. Fique aqui e preste atenção; se Khosatral aparecer, me chame. Se você me ouvir gritar para que você vá embora, corra como se o diabo estivesse logo atrás de você, o que provavelmente será verdade. Vá para aquela porta do outro lado do corredor, porque não poderei ajudá-la. Vou buscar a faca Yuetshi!

Antes que ela pudesse dar voz ao protesto que seus lábios ensaiavam, ele deslizou pela porta e a fechou. Abaixou o ferrolho com cautela, sem perceber que ele poderia ser manuseado pelo lado de fora. Na penumbra, seu olhar procurou aquele trono de cobre sombrio; sim, a fera escamosa ainda estava lá, enchendo o trono com suas espirais asquerosas. Ele viu uma porta atrás do trono e sabia que ela levava para a cúpula. Mas, para alcançá-la, ele precisaria subir no estrado, a poucos metros do próprio trono.

Um vento soprando no chão verde teria feito mais barulho do que os pés furtivos de Conan. Com os olhos colados no réptil adormecido, ele alcançou o estrado e subiu os degraus de vidro. A cobra não se moveu. Ele estava alcançando a porta...

O ferrolho do portal de bronze retiniu e Conan reprimiu um juramento terrível ao ver Octavia entrar na sala. Ela olhou em volta, incerta na escuridão mais profunda, e ele ficou congelado, sem ousar gritar para alertá-la. Então ela viu sua figura sombria e correu em direção ao estrado, gritando:

— Eu quero ir com você! Tenho medo de ficar sozinha e... Ó!

Ela ergueu as mãos com um grito terrível ao ver pela primeira vez o ocupante do trono. A cabeça em forma de cunha tinha se levantado de suas espirais e se virado na direção dela, com o pescoço reluzente alçado um metro acima do chão.

Conan cobriu o espaço entre ele e o trono com um salto desesperado, brandindo sua cimitarra com toda sua força. E com a mesma velocidade a serpente se moveu e o encontrou em pleno ar, envolvendo seus membros e corpo com meia dúzia de voltas. Seu golpe, impedido no meio do caminho, perdeu a efetividade quando ele caiu sobre o estrado, depois de ter cortado o tronco escamoso, mas sem decepá-lo.

Agora ele se contorcia nos degraus de vidro com dobra após dobra pegajosa dando nós em volta dele, torcendo-o, esmagando-o, matando-o. Seu braço direito ainda estava livre, mas ele não tinha como dar um golpe mortal, e sabia que apenas um golpe deveria bastar. Com uma convulsão muscular que inchou as veias de suas têmporas a ponto de parecerem prestes a explodir e fez seus músculos tremerem com o esforço, levantou-se, erguendo quase todo o peso daquele demônio de doze metros.

Por um instante ele cambaleou sobre as pernas espaçadas, sentindo suas costelas afundando em seus órgãos vitais e sua visão escurecendo, enquanto a cimitarra brilhava acima de sua cabeça. Em seguida, ele caiu, cortando as escamas, a carne e as vértebras. E onde antes havia um enorme cabo se contorcendo, agora havia horrivelmente dois, chicoteando e se debatendo na agonia da morte. Conan cambaleou para longe de seus golpes cegos. Ele estava nauseado e tonto, e sangue escorria de seu nariz. Tateando em uma névoa escura, ele agarrou Octavia e a sacudiu até que ela ficasse sem fôlego.

— Da próxima vez que eu te disser para você ficar em algum lugar — disse ele —, você fica!

Ele estava tonto demais para perceber se ela respondeu. Segurando seu pulso como se ela fosse uma estudante cabulando a aula, ele a conduziu ao redor dos pedaços horríveis que ainda se remexiam no chão. Em algum lugar, ao longe, ele pensou ter ouvido homens gritando, mas seus ouvidos ainda estavam ribombando de forma que ele não tinha certeza.

A porta cedeu aos seus esforços. Se Khosatral colocara a cobra ali para guardar o que temia, evidentemente a considerava precaução suficiente. Conan esperava que alguma outra monstruosidade saltasse sobre ele com a abertura da porta, mas na luz mais fraca ele viu apenas a vaga curva da arcada acima, um bloco dourado com um brilho opaco e uma meia-lua cintilando sobre a pedra.

Com um suspiro de satisfação, ele pegou a faca e não se demorou para explorar mais. Ele se virou e fugiu pela sala e pelo grande corredor em direção à porta distante que sentiu que levava para o exterior. Estava certo. Poucos minutos depois, saiu para as ruas silenciosas, meio carregando, meio guiando sua companheira. Não havia ninguém à vista, mas além da muralha oeste soaram gritos e gemidos que fizeram Octavia tremer. Ele a conduziu até a muralha sudoeste e, sem dificuldade, encontrou uma escada de pedra que subia até o topo. Ele havia se apropriado de uma grossa corda de tapeçaria no grande salão e, agora, tendo alcançado o parapeito, enrolou a corda forte e macia em volta dos quadris da garota e a baixou até o chão. Então, atando uma extremidade em uma das ameias, deslizou atrás dela. Havia apenas uma maneira de escapar da ilha – a escada nos penhascos ocidentais. Ele correu naquela direção, contornando o local de onde tinham vindo os gritos e o som de golpes terríveis.

Octavia sentiu que o perigo terrível espreitava naquela mata densa. Sua respiração estava ofegante e ela pressionou o corpo contra o de seu protetor. Mas a floresta estava silenciosa agora, e eles não viram qualquer forma de ameaça até que emergiram das árvores e avistaram uma figura parada na beira dos penhascos.

Jehungir Agha escapou do destino que se abateu sobre seus guerreiros quando um gigante de ferro saltou repentinamente do portão e os espancou e os esmagou despedaçando suas carnes e estilhaçando seus ossos. Quando ele viu as espadas de seus arqueiros quebrar naquele rolo compressor parecido com um homem, sabia que não era nenhum inimigo humano que eles enfrentavam, e fugiu, escondendo-se na floresta densa até que os sons de massacre cessassem. Então ele se esgueirou de volta para a escada, mas os barqueiros não esperavam por ele.

Eles ouviram os gritos e, pouco depois, enquanto esperavam nervosos, viram, no penhasco acima deles, um monstro manchado de sangue balançando os braços gigantescos em terrível triunfo. Não esperaram mais. Quando Jehungir chegou aos penhascos, eles estavam simplesmente desaparecendo entre os juncos além do alcance dos ouvidos. Khosatral havia partido, ou havia retornado à cidade ou estava rondando a floresta em busca do homem que escapou dele para fora das muralhas.

Jehungir estava se preparando para descer as escadas e partir no barco de Conan, quando viu o bárbaro e a garota emergirem das árvores. A experiência que congelou seu sangue e quase destruiu sua razão não alterou as intenções de Jehungir em relação ao chefe kozaki. A visão do homem que ele viera matar o encheu de gratificação. Ficou surpreso ao ver a garota que dera a Jelal Khan, mas não perdeu tempo com ela. Erguendo o arco, ele puxou a flecha até a ponta e a soltou. Conan se agachou e a flecha se estilhaçou em uma árvore. Conan riu.

— Cretino! — provocou ele. — Você não pode me atingir! Não nasci para morrer pelo aço hirkaniano! Tente de novo, porco de Turan!

Jehungir não tentou novamente. Aquela era sua última flecha. Desembainhou sua cimitarra e avançou, confiante em seu capacete pontiagudo e cota de malha cerrada. Conan o encontrou no meio do caminho em um turbilhão ofuscante de espadas. As lâminas curvas se fundiram, separaram-se e formaram círculos em arcos cintilantes que turvaram a visão que tentava acompanhá-los. Octavia, observando, não viu o golpe, mas ouviu seu impacto cortante e viu Jehungir cair, com sangue jorrando de seu lado onde o aço do cimério havia partido sua cota de malha e atingido sua espinha.

Mas o grito de Octavia não foi causado pela morte de seu antigo mestre. Com um estrondo de galhos dobrados, Khosatral Khel estava sobre eles. A garota não podia fugir; um grito gemido escapou dela quando seus joelhos cederam e a jogaram rastejando no gramado.

Conan, curvando-se sobre o corpo do Agha, não fez nenhum movimento para escapar. Mudando sua cimitarra avermelhada para a mão esquerda, ele sacou a grande meia lâmina do Yuetshi. Khosatral Khel estava se elevando acima dele, seus braços erguidos como marretas, mas quando a lâmina pegou o brilho do sol, o gigante cedeu repentinamente.

O sangue de Conan estava fervendo. Ele avançou, cortando com a lâmina em forma de lua crescente. E ela não se partiu. Sob sua borda, o metal escuro do corpo de Khosatral cedeu como carne comum sob um cutelo. Do corte profundo fluía um estranho líquido, e o grito de Khosatral era como a badalada de um sino. Seus terríveis braços desciam com força, mas Conan, mais rápido do que os arqueiros que morreram sob aquelas armas fatais, evitou seus golpes e atacou de novo e de novo. Khosatral cambaleou e vacilou mais uma vez; seus gritos eram horríveis de ouvir, como se o metal tivesse recebido uma língua de dor, como se o ferro gritasse e rugisse sob o tormento.

Em seguida, virando-se, ele mancou para a floresta; cambaleou em seu andar, bateu em arbustos e ricocheteou em árvores. Ainda assim, embora Conan o seguisse com velocidade e um ímpeto chamejante, as muralhas e torres de Dagon surgiram entre as árvores antes que o homem alcançasse o gigante.

Então Khosatral se virou novamente, agitando o ar com golpes desesperados, mas a fúria desenfreada de Conan não seria negada. Como uma pantera abate um alce acuado, ele mergulhou sob os braços ameaçadores e enfiou a lâmina crescente até o cabo no local onde estaria o coração em um ser humano.

Khosatral cambaleou e caiu. Ele cambaleou na forma de um homem, mas não foi a forma de um homem que atingiu a argila. Onde havia a semelhança com um rosto humano, não havia rosto nenhum, e os membros de metal derreteram e se transformaram... Conan, que não temera Khosatral quando vivo, recuou empalidecendo diante de Khosatral morto, pois tinha testemunhado uma terrível transmutação; em seus estertores agonizantes, Khosatral Khel havia se tornado novamente a coisa que rastejou do Abismo milênios atrás. Engasgando com uma repugnância intolerável, Conan se virou para fugir de vista; e de repente ele percebeu que os pináculos de Dagon não mais cintilavam por entre as árvores. Eles haviam desaparecido como: as ameias, as torres, os grandes portões de bronze, os veludos, o ouro, o mármore e as mulheres de cabelos escuros e os homens com seus crânios raspados. Com a passagem do intelecto inumano que lhes dera o renascimento, eles voltaram ao pó que haviam sido por séculos incontáveis. Apenas os tocos de colunas quebradas se erguiam acima de paredes em ruínas, pavimentos quebrados e cúpula quebrada. Conan novamente olhou para as ruínas de Xapur da maneira como se lembrava delas.

O homem selvagem permaneceu imóvel como uma estátua por um tempo, refletindo um pouco sobre a tragédia cósmica da efemeridade intermitente a que chamam de humanidade, e sobre as formas obscuras que a espreitam. Então, ao ouvir seu nome ser chamado em tom de medo, ele estremeceu, como quem acorda de um sonho, olhou novamente para a coisa no chão, estremeceu e se virou na direção dos penhascos e da garota que estava lá.

Ela estava espiando com medo sob as árvores e o recebeu com um grito de alívio meio abafado. Ele havia se livrado das visões obscuras e monstruosas que momentaneamente o assombravam, e estava exuberante novamente.

— Onde ele está? — perguntou ela, trêmula.

— Voltou para o inferno de onde saiu rastejando —respondeu ele com alegria. — Por que você não desceu as escadas e fugiu no meu barco?

— Eu não abandonaria... — ela começou a falar, depois mudou de ideia e emendou um tanto amuada — Não tenho para onde ir. Os hirkanianos me escravizariam novamente e os piratas...

— E quanto aos kozakis? — sugeriu ele.

— Eles são melhores do que os piratas? — perguntou ela em tom de zombaria.

A admiração de Conan aumentou ao ver como ela havia recuperado seu equilíbrio depois de ter experimentado um terror tão frenético. Sua arrogância o divertia.

— Você parecia pensar assim no acampamento de Ghori — respondeu ele. — Você estava bastante sorridente lá.

Seus lábios vermelhos se curvaram com desdém.

— Você acha que eu estava apaixonada por você? Você sonha que eu teria me envergonhado diante de um bárbaro bebedor de cerveja e carnívoro se não fosse necessário? Meu mestre, cujo corpo está lá, me forçou a fazer o que fiz.

— Ah! — Conan parecia bastante desanimado.

Então ele riu com entusiasmo inalterado.

— Não importa. Você pertence a mim agora. Dê-me um beijo.

— Você ousa pedir... — ela começou a falar com raiva, quando se sentiu arrancada do chão e esmagada contra o peito musculoso do bárbaro.

Lutou com ele ferozmente, com toda a força de sua juventude magnífica, mas ele apenas gargalhou com deleite, feliz com a posse desta criatura esplêndida se contorcendo em seus braços.

Ele colocou fim à sua resistência, bebendo o néctar de seus lábios com toda a paixão desenfreada que era dele, até que os braços que se esticavam contra ele se derreteram e se enroscaram convulsivamente em torno de seu pescoço enorme. Então ele riu para aqueles olhos claros e perguntou:

— Por que um chefe do Povo Livre não seria preferível a um cão criado na cidade de Turan?

Ela sacudiu seus cabelos loiros, ainda formigando em cada nervo com o fogo de seus beijos. Não tirou os braços de seu pescoço.

— Você se considera igual a Agha? — desafiou ela.

Ele riu e caminhou com ela em seus braços em direção à escada.

— Você me dirá isso — gabou-se ele. — Incendiarei Khawarizm em uma tocha para iluminar seu caminho até minha tenda.

GALERIA DE CAPAS

SOMBRAS DE FERRO AO LUAR

História originalmente publicada em *Weird Tales* — abril de 1934.
(*) Publicada pela primeira vez como *Shadows in the Moonlight*.

A RAINHA DA COSTA NEGRA

História originalmente publicada em *Weird Tales*—maio de 1934.

O DEMÔNIO DE FERRO

História originalmente publicada em *Weird Tales* — agosto de 1934.

A RECEPÇÃO DE CONAN NOS QUADRINHOS

Mais do que um personagem, Conan representa um conjunto de ideias. Essas ideias foram desenvolvidas pelo seu criador Robert E. Howard dentro do contexto americano da década de 1930 do século XX e apenas exteriorizadas sob a forma de um guerreiro bárbaro mítico. É importante ter isso em mente, pois ao analisarmos a sua representação quarenta anos depois nos quadrinhos da *Marvel Comics*, lidaremos com questões que na Teoria Literária são chamadas de Estudos de Recepção e, nesses estudos, o contexto histórico é crucial para compreendermos os vários modos de se receber, adaptar e reproduzir textos.

Para iniciar uma análise comparativa das duas representações é essencial esclarecer o *éthos* de Conan nos contos originais dos anos de 1930. *Éthos* para os gregos era o caráter dado a determinado personagem com base na soma de diversos fatores como suas ações, costumes, desejos, sentimentos, interações entre si e com seu contexto ficcional etc. Fato é que muito da diferença de representação entre o Conan dos contos *pulp* e dos HQs se dá com base numa diferença ética — ou seja, relativa ao *éthos* — das duas versões.

A moldagem desse *éthos* é primordial para avaliar sua repercussão ao ser recebido pelo público. Robert E. Howard, ao publicar pela primeira vez Conan em 1932, concede-lhe um *éthos* que representa muito da sociedade de sua década, fragilizada pela Grande Depressão e desapontada com a, até então, aparentemente inabalável civilização. Conan passa a ter um *éthos* de homem rústico, avesso aos padrões de civilização que, segundo sua concepção, seriam corruptos e imorais. Quando não consegue se desvencilhar de todo desses entraves sociais advindos dos ideais civilizadores, consterna-se profundamente, beirando a uma melancolia e soturnidade muito contrastante com a brutalidade de seu barbarismo. Esse é o Conan das narrativas publicadas pela *Weird* Tales lá nos idos de 1930.

Já o Conan presente nos quadrinhos perde um pouco desse *éthos* anterior e isso não é sem razão. Tendo chegado às bancas em 1970 sob o imponente selo da marca *Marvel Comics*, a realidade sócio-histórica não é mais a mesma daquela de quarenta anos atrás. O jovem consumidor dos quadrinhos, nesse momento, estava experenciando uma era influenciada por uma efervescência de demandas consumistas e ao mesmo tempo de demanda sociais, muitas delas trazidas por segmentos contraculturais como a *Disco Music*, o movimento LGBT, o movimento feminista, o movimento negro etc. Essa combinação antitética, quase paradoxal, envolve o jovem norte-americano que se vê apoiador de um ideal libertário, mas também ambicioso por consumir o máximo que o seu *American Way of Life* lhe permitir.

A década de 1970 também foi, curiosamente, permeada por uma grande onda de misticismo e, em mesma proporção, de aversão a essas crescentes práticas ocultistas que poderiam levar, no mais das vezes, a estranhos cultos. Exemplo disso são os movimentos de *New Age*, práticas Wicca e, no polo oposto, ao *satanic panic* e a cultos como o de Charles Manson, condenado em 1971 por múltiplos assassinatos.

Conan já não seria mais relacionável com o público jovem se ressurgisse nos quadrinhos da mesma maneira que nos contos. Portanto, ajustes precisaram ser feitos. Ideais libertários, hedonistas e com alta presença de elementos sobrenaturais eram quase que a fórmula do sucesso. A *Marvel Comics*, enquanto empresa capitalista, não poderia deixar essa oportunidade lhe escorrer por entre os dedos e esses elementos foram adicionados tanto na edição colorizada *Conan, The Barbarian* de Roy Thomas, quanto na versão em preto e branco *Savage Sword of Conan* de John Buscema.

Como podemos constatar, julgamentos de valor incididos sobre uma degradação do personagem meramente porque é representado no gênero *mainstream* dos quadrinhos não se sustenta. Além dos quadrinhos serem um complexo texto multimodal que exige um compreensão mútua entre diferentes signos verbais e visuais, ele também reflete, como todo produto cultural, as necessidades e vontades de uma época. Conan não teve uma redução de seu *éthos*, mas uma modificação dele com base em uma série de fatores ocorridos ao longo de quarenta anos.

A oposição semântica entre civilização e barbárie tinha uma conotação muito pessoal a Robert E. James durante o processo de construção de Conan, pois além de crescer imerso em histórias do Velho Oeste, com relatos de massacres a nativos americanos, também viveu em uma sociedade hipocritamente repressora que exaltava os ideais ditos civilizadores, ao mesmo tempo que barbarizava das formas mais hediondas possíveis. Para Howard, pensar nessas questões era se afastar da visão romântica exótica do século XVIII e XIX de "bom selvagem". A barbárie seria quase que uma etapa natural da civilização, que já mostrava as fraquezas de suas fundações desde o início da Grande Depressão. Howard associou essas ideias de caráter filosófico-sociais e as fundiu às suas origens irlandesas, dando vida ao complexo mundo da Era Hiboriana.

Civilização e barbárie, nos anos de 1970, não tinha tanto significado quanto de se libertar de costumes decadentes, explorar o mundo sobrenatural e aproveitar a vida sem limites. É por isso que nas representações em quadrinhos Conan combate reinos em declínio, inimigos sobrenaturais e dá espaço à luxúria e aos prazeres carnais. Esse breve estudo comparativo é muito útil para pensar que nem todo produto veiculado por alguma mídia *mainstream* é alienante, muito pelo contrário, ele serve como um produto contracultural que alçou voos mais longos e atingiu uma plataforma mais ampla. As consequências disso podem ser exatamente incentivar o pensamento crítico e autoavaliação de sua época e de seu contexto sociopolítico. Conan não tem versões piores ou melhores, Conan tem encarnações e cada uma delas conserva um poder de criação e recriação de seu mundo ficcional e de nosso mundo real.

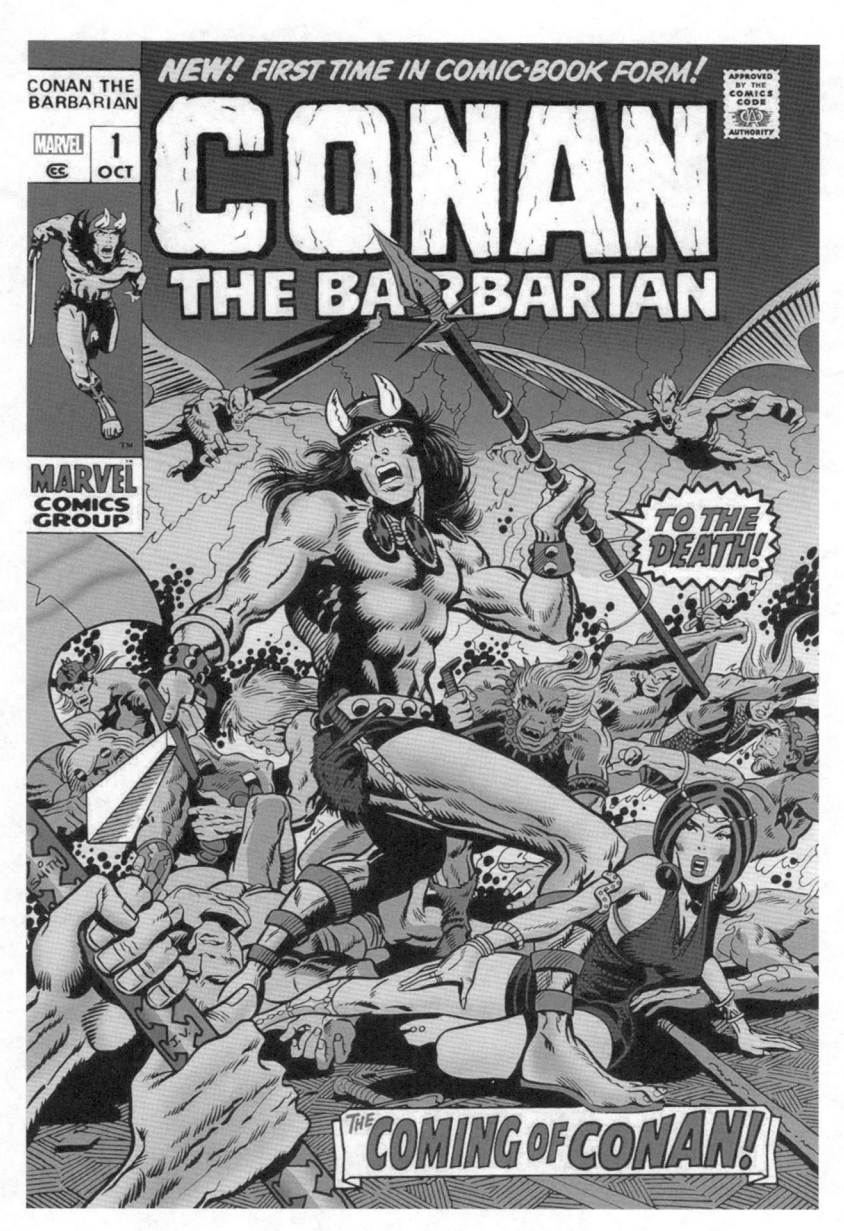

Capa da primeira edição de Conan, o Bárbaro, em quadrinhos, publicado pela Marvel Comics em outubro de 1970.

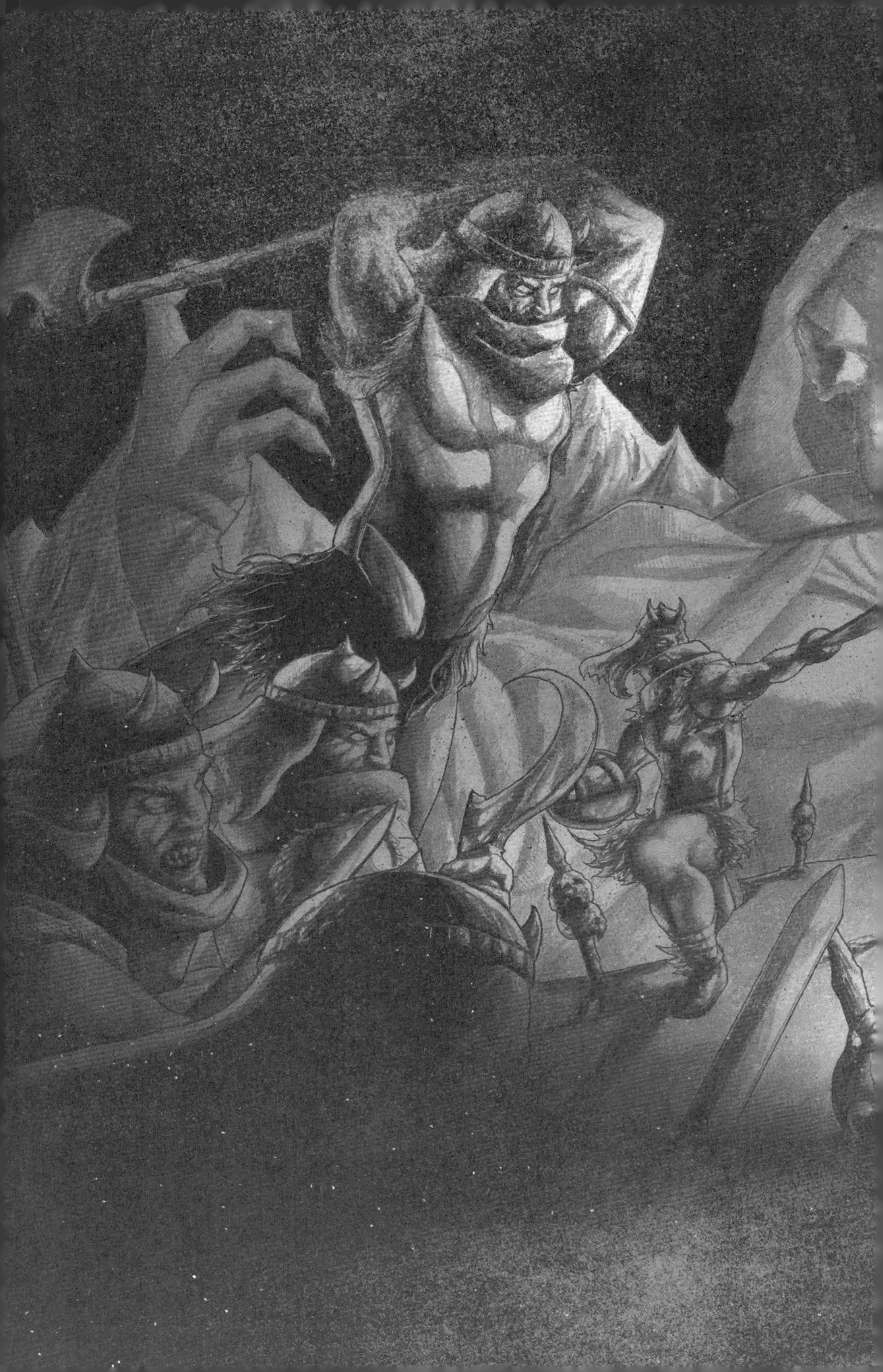

Robert E. Howard

INFORMAÇÕES SOBRE NOSSAS PUBLICAÇÕES
E NOSSOS ÚLTIMOS LANÇAMENTOS

- 🌐 editorapandorga.com.br
- f /editorapandorga
- 📷 @pandorgaeditora
- 🐦 @editorapandorga

PandorgA